新星出版社

本書の特長と見方

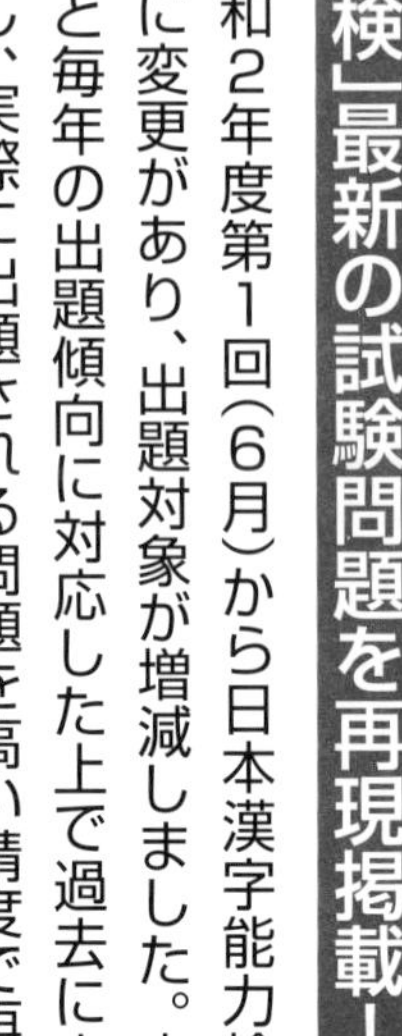

令和2年度第1回(6月)から日本漢字能力検定の配当漢字の一部に変更があり、出題対象が増減しました。本書はこの新審査基準と毎年の出題傾向に対応した上で過去に出題された問題を分析し、実際に出題される問題を高い精度で再現しています。

常に最新の問題傾向が反映されるよう、毎年改訂を行っています。

出題テーマごとの頻出度順

検定試験で出題される出題テーマごとに、A・B・Cランクの頻出度順で掲載しています。

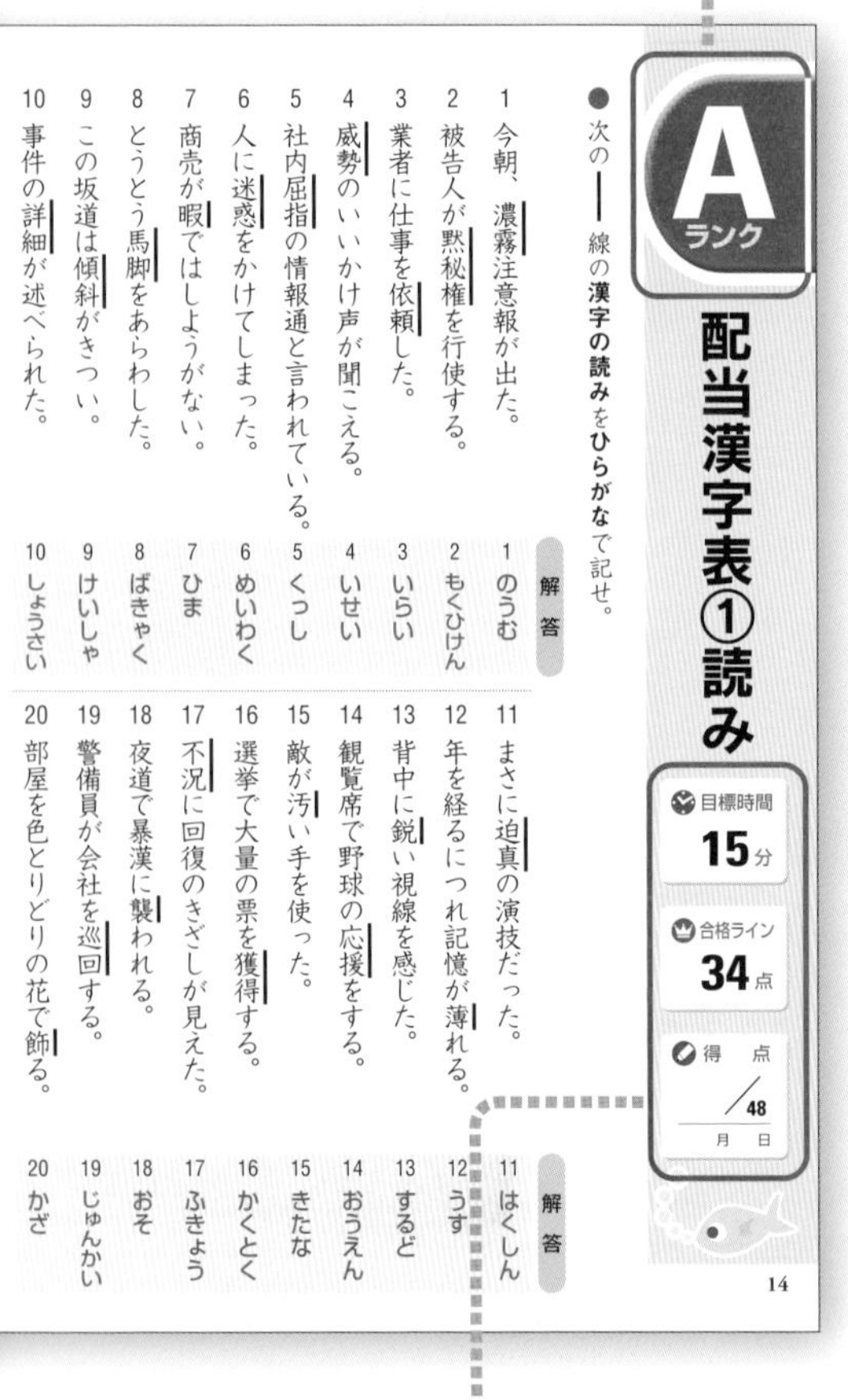

A ランク

配当漢字表①読み

目標時間 15分
合格ライン 34点
得点 /48 月 日

● 次の──線の漢字の読みをひらがなで記せ。

1 今朝、濃霧注意報が出た。
2 被告人が黙秘権を行使する。
3 業者に仕事を依頼した。
4 威勢のいいかけ声が聞こえる。
5 社内屈指の情報通と言われている。
6 人に迷惑をかけてしまった。
7 商売が暇ではしようがない。
8 とうとう馬脚をあらわした。
9 この坂道は傾斜がきつい。
10 事件の詳細が述べられた。

解答
1 のうむ
2 もくひけん
3 いらい
4 いせい
5 くっし
6 めいわく
7 ひま
8 ばきゃく
9 けいしゃ
10 しょうさい

11 まさに迫真の演技だった。
12 年を経るにつれ記憶が薄れる。
13 背中に鋭い視線を感じた。
14 観覧席で野球の応援をする。
15 敵が汚い手を使った。
16 選挙で大量の票を獲得する。
17 不況に回復のきざしが見えた。
18 夜道で暴漢に襲われる。
19 警備員が会社を巡回する。
20 部屋を色とりどりの花で飾る。

解答
11 はくしん
12 うす
13 するど
14 おうえん
15 きたな
16 かくとく
17 ふきょう
18 おそ
19 じゅんかい
20 かざ

14

目標時間と得点

実際の試験時間と合格基準から換算した目標時間と合格ラインです。時間配分も意識して問題に取り組みましょう。

Aランク…過去の試験で最も出題頻度が高い問題

Bランク…よく出題されている問題

Cランク…出題頻度は高くはないが、実力に差をつける問題

解答が消える赤シート付き

「問題を解く」「解答を確認する」がスピーディーに行えます。
解けない問題がなくなるまで、繰り返しましょう！

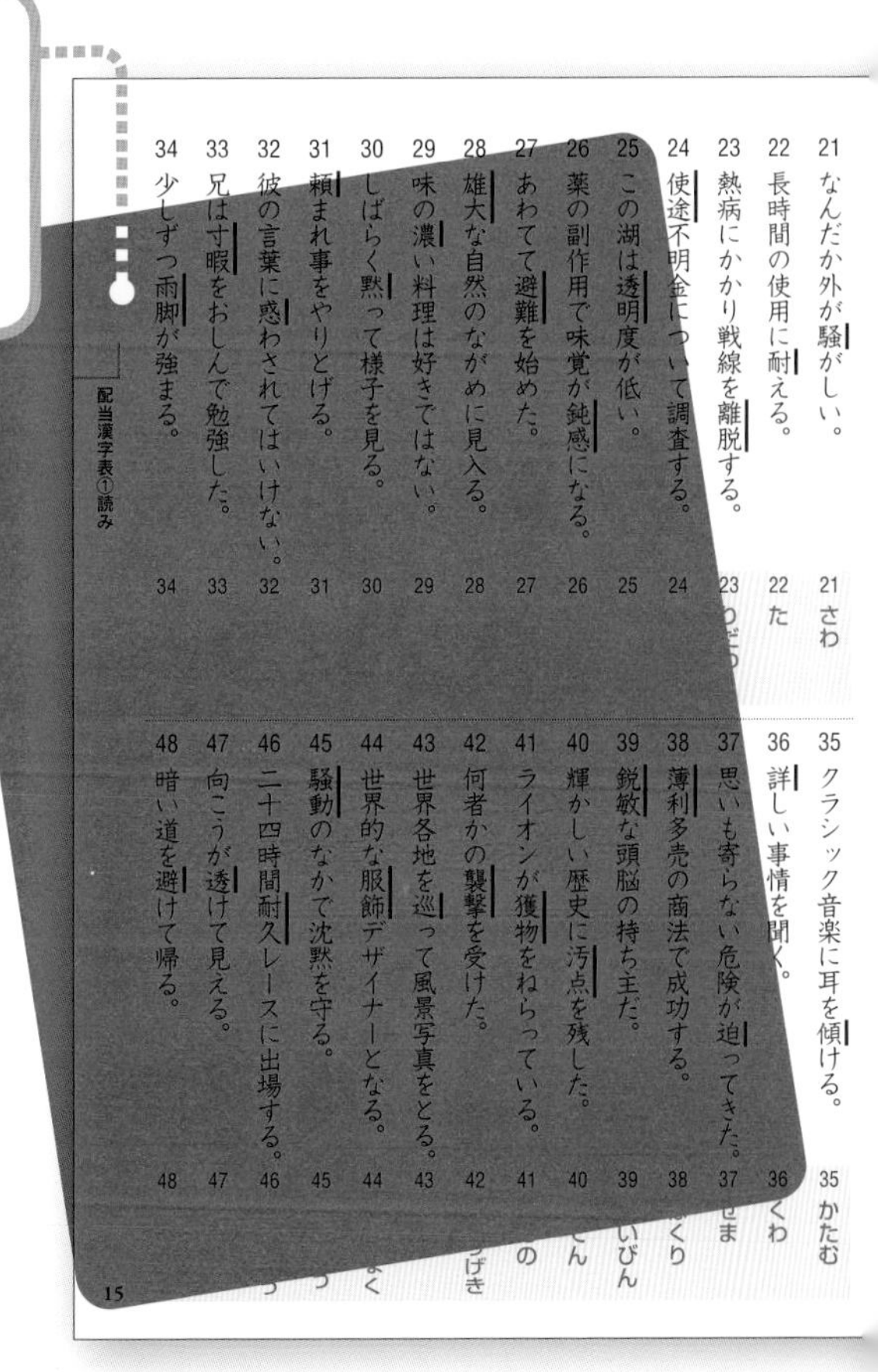

21 なんだか外が騒がしい。
22 長時間の使用に耐える。
23 熱病にかかり戦線を離脱する。
24 使途不明金について調査する。
25 この湖は透明度が低い。
26 薬の副作用で味覚が鈍感になる。
27 あわてて避難を始めた。
28 雄大な自然のながめに見入る。
29 味の濃い料理は好きではない。
30 しばらく黙って様子を見る。
31 頼まれ事をやりとげる。
32 彼の言葉に惑わされてはいけない。
33 兄は寸暇をおしんで勉強した。
34 少しずつ雨脚が強まる。

21 さわ　22 た

35 クラシック音楽に耳を傾ける。
36 詳しい事情を聞く。
37 思いも寄らない危険が迫ってきた。
38 薄利多売の商法で成功する。
39 鋭敏な頭脳の持ち主だ。
40 輝かしい歴史に汚点を残した。
41 ライオンが獲物をねらっている。
42 何者かの襲撃を受けた。
43 世界各地を巡って風景写真をとる。
44 世界的な服飾デザイナーとなる。
45 騒動のなかで沈黙を守る。
46 二十四時間耐久レースに出場する。
47 向こうが透けて見える。
48 暗い道を避けて帰る。

35 かたむ　36 くわ　37 せま

配当漢字表①読み

15

付録も充実（じゅう）！

出題範囲の漢字や部首の一覧、四字熟語の解説、本試験の答案用紙例など、役に立つ資料を巻末に掲載しました。

別冊には模擬（ぎ）試験5回分収録！

試験前の総仕上げ、弱点の発見に活用できる模擬試験問題５回分を収録しました。

学習のワンポイントアドバイス

まずは模擬試験を１回分解いてみて、自分の不得意な分野を知りましょう。

目次

第2章 テーマ別本試験型問題……59

付録

別冊の解答と答案用紙のサンプル

別冊

※本書は2024年２月現在の情報をもとに作成しています。

●STAFF
デザイン・DTP／株式会社グラフト
イラスト／サヨコロ

受検ガイドと採点基準

検定日と検定時間

日本漢字能力検定が公開会場で実施されるのは、**年3回**です。検定時間は1～7級は60分です。開始時間の異なる級を選べば同時に複数級受検できます。

第1回　2024年6月16日
第2回　2024年10月20日
第3回　2025年2月16日

※変更の可能性があります

検定会場

個人：すべて公開会場での受検。受検地は、願書に載っている中から選ぶことができます。

団体（2級以下）：準会場で受検することもできます。準会場は、担当者の監督のもとに検定を行う会場です。公開会場とは異なる日にも検定を行えます。検定日ごとに問題は変わります。

漢検CBT：漢検CBT会場でコンピューターを使って漢検（2～7級）を受検できます。公開会場での年3回の検定日に限定されずに、都合のよい日程を選んで受検することができます。詳細についてはインターネット上で確認してください。

申し込み方法と検定料

4級の検定料は公開会場が3500円、準会場は2500円。原則、検定日の約2か月前から約1か月前までに、インターネットより申し込んでください。

日本漢字能力検定協会のホームページ（https://www.kanken.or.jp/kanken/）にアクセスし、必要事項を入力することで申し込みができます。クレジットカードによる支払い、コンビニ決済が可能です。申し込み方法などは変更になることがありますので、最新情報は日本漢字能力検定協会のホームページでご確認ください。

漢字検定の採点基準

字の書き方	正しい筆画で大きく明確に書きましょう。行書体や草書体のようにくずした字や、乱雑な書き方は採点の対象外です。
字種・字体・読み	解答は内閣告示「常用漢字表」（平成22年）によります。ただし、旧字体での解答は正答と認められません。
仮名遣い	内閣告示「現代仮名遣い」によります。
送りがな	内閣告示「送り仮名の付け方」によります。
部　首	『漢検要覧 2～10級対応 改訂版』（公益財団法人日本漢字能力検定協会発行）収録の「部首一覧表と部首別の常用漢字」によります。
筆　順	原則は、文部省編『筆順指導の手びき』（昭和33年）によります。常用漢字一字一字の筆順は『漢検要覧 2～10級対応 改訂版』によります。

新審査基準による各級のレベルと出題内容

級	レベル（対象漢字数）	程度	主な出題内容										合格基準
3	中学校卒業程度（1623字）	常用漢字＊のうち約1600字を理解し、文章の中で適切に使える。	漢字の読み	漢字の書き取り	部首・部首名	送りがな	対義語・類義語	同音・同訓異字	誤字訂正	四字熟語	熟語の構成		200点満点中70%程度
4	中学校在学程度（1339字）	常用漢字＊のうち約1300字を理解し、文章の中で適切に使える。	漢字の読み	漢字の書き取り	部首・部首名	送りがな	対義語・類義語	同音・同訓異字	誤字訂正	四字熟語	熟語の構成		
5	小学校6年生修了程度（1026字）	小学校第6学年までの学習漢字を理解し、文章の中で漢字が果たしている役割に対する知識を身に付け、漢字を文章の中で適切に使える。	漢字の読み	漢字の書き取り	部首・部首名	筆順・画数	送りがな	対義語・類義語	同音・同訓異字	誤字訂正	四字熟語	熟語の構成	

＊常用漢字とは、平成22年11月30日付内閣告示による「常用漢字表」に示された2136字をいう。

検定に関する問い合わせ先

公益財団法人　日本漢字能力検定協会

〒605-0074 京都市東山区祇園町南側551番地

TEL：075-757-8600　FAX：075-532-1110

URL：https://www.kanken.or.jp/kanken/

◆お問い合わせ窓口

TEL：0120-509-315（無料）

出題内容と得点のポイント

4級で出題される漢字

4級で出題される漢字は、小学校学年別漢字配当表のすべての漢字と、その他の常用漢字約300字を合わせた1339字です。その中で4級配当漢字は313字です（令和2年度から「香」「井」「沖」は7級に移りました）。

試験時間は60分で、合格ラインは200点満点中140点（70％）程度です。

試験の設問順に、出題テーマと配点、出題内容、ポイントを確認しておきましょう。

1 読み　30問×1点

出題内容　短文中の傍線部の漢字の読みをひらがなで書く問題です。基本的に4級配当漢字で、「常用漢字表」にある読み方が出題されます。熟字訓・当て字（174ページ）や、中学校で習う読み（176ページ）も数問出題されます。

ポイント　30問のうち、20問が音読み、10問が訓読み（熟字訓・当て字含む）で、「書き取り」に次いで配点の高いところです。

「ず」と「づ」、「じ」と「ぢ」など仮名遣いに注意しましょう。

2 同音・同訓異字　15問×2点

出題内容　3つの短文が一組として出題され、各短文中にカタカナで示された共通する音訓に当てはまる漢字一字を、それぞれ5つの選択肢（たくし）から選ぶ問題です。4級配当漢字が中心です。

ポイント　5組の出題のうち、4組が音読み、1組が訓読みで、「読み」と同様に配点の高いところです。

3 漢字識別　5問×2点

出題内容　3つの熟語が一組として出題され、各熟語中の空欄（□部分）に共通する漢字一字を選択欄から選び、熟語を完成させる問題です。4級配当漢字を含む熟語が中心です。

ポイント　選択欄にある漢字は1回しか使えません。選んだ漢字には印を付けておきましょう。

4 熟語の構成　10問×2点

出題内容　熟語の構成のしかたの5つのパターンを示して、問題の熟語がどのパターンに当たるかを答える問題です。4級配当漢字を含む熟語が中心です。示される熟語の構成のパターンは、次の5つです。

ア　同じような意味の漢字を重ねたもの（例：岩石、戦闘など）

イ　反対または対応の意味を表す字を重ねたもの（例：高低、栄枯など）

ウ　上の字が下の字を修飾しているもの（例：洋画、甘言など）

エ　下の字が上の字の目的語・補語になっているもの（例：着席、脱帽など）

オ　上の字が下の字の意味を打ち消しているもの（例：非常、不眠など）

ポイント　ウの場合は短文に直してみましょう（例えば、「甘言」なら「甘い↓言葉」）。エの場合は、下の字に「に」または「を」をつけて上の字にかけてみましょう（例えば、「着席」なら「着く↑席に」）。

5 部首　10問×1点

出題内容　漢字の部首を4つの選択肢から選ぶ問題で、5級以下の漢字も含めて幅広く出題されます。

ポイント　部首の定義は漢和辞典により異なる場合があります。本試験では『漢検要覧2～10級対応 改訂版』（公益財団法人 日本漢字能力検定協会発行）収録の「部首一覧表と部首別の常用漢字」によります。

6 対義語・類義語　10問×2点

出題内容　対義語5問、類義語5問が出題されます。いずれも、対応する熟語のうちの一字をひらがなで示された選択欄から選んで漢字に直します。熟語は4級の漢字を含むものを中心に幅広く出題されます。

ポイント 選択欄にある漢字は1回しか使えません。選んだ漢字には印を付けておきましょう。

7 送りがな　5問×2点

出題内容 短文中のカタカナの部分を漢字一字と送りがなに直す問題で、5級以下の漢字も含めて幅広く出題されます。

ポイント 送りがなのつけ方には原則があり、内閣告示「送り仮名の付け方」によります。一つひとつしっかり覚えていきましょう。

8 四字熟語　10問×2点

出題内容 短文中にある四字熟語の中のカタカナ部分を一字の漢字に直す問題です。四字熟語は4級の漢字を含むものを中心に幅広く出題されます。

ポイント 四字熟語は苦手とする受検者が多いところですが、意味と一緒（しょ）に覚えると効果的な学習ができます。

9 誤字訂正　5問×2点

出題内容 短文中から誤って使われている漢字一字を選び出し、正しい漢字に直す問題です。

ポイント 誤字には音読みも訓読みもあります。問題の短文を注意深く読み取りましょう。

10 書き取り　20問×2点

出題内容 短文中のカタカナの部分を漢字に直す問題で、4級の漢字を中心に出題されます。

ポイント 20問のうち、10問が音読み、10問が訓読み（熟字訓・当て字含む）で、4級の中で最も配点の高いところです。答えは楷書（かいしょ）ではっきり書きましょう。

例 楷書体　行書体　草書体

風　風　風

はねるところ、とめるところにも注意しましょう。

例 はねる　とめる　つきだす　つける

第1章

配当漢字表と「読み」の問題

学習のワンポイントアドバイス

「書き取り」にも配当漢字が出題されるよ。しっかり覚えよう!

Aランク

配当漢字表①

漢字	読み	部首	部首名	用例
濃	音 ノウ 訓 こ(い)	氵	さんずい	濃淡(のうたん)・濃縮(のうしゅく)・濃霧(のうむ) 濃い色(いろ)
黙	音 モク 訓 だま(る)	黒	くろ	黙秘権(もくひけん)・黙読(もくどく)・沈黙(ちんもく)・暗黙(あんもく) 黙(だま)り込(こ)む
頼	音 ライ 訓 たの(む) たの(もしい) たよ(る)	頁	おおがい	依頼(いらい)・信頼(しんらい) 頼(たの)もしい人(ひと)・親(おや)に頼(たよ)る
威	音 イ 訓 ―	女	おんな	猛威(もうい)・権威(けんい)・威勢(いせい)・威儀(いぎ)・ 威圧(いあつ)
屈	音 クツ 訓 ―	尸	かばね しかばね	屈指(くっし)・屈強(くっきょう)・屈折(くっせつ)・理屈(りくつ)
惑	音 ワク 訓 まど(う)	心	こころ	当惑(とうわく)・迷惑(めいわく)・疑惑(ぎわく)・困惑(こんわく) 思(おも)い惑(まど)う

漢字	読み	部首	部首名	用例
暇	音 カ 訓 ひま	日	ひへん	余暇(よか)・寸暇(すんか)・休暇(きゅうか) 暇(ひま)な時間(じかん)
脚	音 キャク キャ㊫ 訓 あし	月	にくづき	馬脚(ばきゃく)・脚本(きゃくほん)・脚色(きゃくしょく) いすの脚(あし)・雨脚(あまあし)
傾	音 ケイ 訓 かたむ(く) かたむ(ける)	亻	にんべん	傾斜(けいしゃ)・傾向(けいこう)・傾倒(けいとう) 杯(さかずき)を傾(かたむ)ける
詳	音 ショウ 訓 くわ(しい)	言	ごんべん	詳報(しょうほう)・詳細(しょうさい)・不詳(ふしょう) 詳(くわ)しい事情(じじょう)
迫	音 ハク 訓 せま(る)	辶	しんにょう しんにゅう	迫力(はくりょく)・迫真(はくしん)・切迫(せっぱく) 胸(むね)に迫(せま)る
薄	音 ハク 訓 うす(い) うす(める) うす(まる) うす(らぐ) うす(れる)	艹	くさかんむり	軽薄(けいはく)・薄利(はくり)・薄弱(はくじゃく) 薄味(うすあじ)にする・興味(きょうみ)が薄(うす)れる

「威」の部首は「女(おんな)」で、「戈(ほこづくり・ほこがまえ)」ではないことに注意!

漢字	読み	部首	部首名	用例
鋭	音 エイ 訓 するど(い)	釒	かねへん	鋭意(えいい)・鋭敏(えいびん)・鋭利(えいり)・精鋭(せいえい)・鋭(するど)い感性(かんせい)
援	音 エン 訓 ――	扌	てへん	声援(せいえん)・支援(しえん)・応援(おうえん)・後援(こうえん)・救援(きゅうえん)
汚	音 オ 訓 けが(す)高 けが(れる)高 けが(らわしい)高 よご(す) よご(れる) きたな(い)	氵	さんずい	汚濁(おだく)・汚点(おてん)・汚職(おしょく)・顔(かお)を汚(よご)す・汚(きたな)い手(て)
獲	音 カク 訓 え(る)	犭	けものへん	捕獲(ほかく)・獲得(かくとく)・獲物(えもの)
況	音 キョウ 訓 ――	氵	さんずい	盛況(せいきょう)・実況(じっきょう)・不況(ふきょう)
襲	音 シュウ 訓 おそ(う)	衣	ころも	襲撃(しゅうげき)・世襲(せしゅう)・襲来(しゅうらい)・暴漢(ぼうかん)に襲(おそ)われる
巡	音 ジュン 訓 めぐ(る)	巛	かわ	巡業(じゅんぎょう)・巡回(じゅんかい)・巡視(じゅんし)・国々(くにぐに)を巡(めぐ)る
飾	音 ショク 訓 かざ(る)	飠	しょくへん	装飾(そうしょく)・服飾(ふくしょく)・修飾(しゅうしょく)・首飾(くびかざ)り

漢字	読み	部首	部首名	用例
騒	音 ソウ 訓 さわ(ぐ)	馬	うまへん	騒然(そうぜん)・物騒(ぶっそう)・騒動(そうどう)・子供(こども)が騒(さわ)ぐ
耐	音 タイ 訓 た(える)	而	しかして しこうして	耐久(たいきゅう)・耐寒(たいかん)・耐火(たいか)・耐熱(たいねつ)・痛(いた)みに耐(た)える
脱	音 ダツ 訓 ぬ(ぐ) ぬ(げる)	月	にくづき	離脱(りだつ)・脱帽(だつぼう)・脱衣(だつい)・脱出(だっしゅつ)・服(ふく)を脱(ぬ)ぐ
途	音 ト 訓 ――	辶	しんにょう しんにゅう	使途(しと)・途中(とちゅう)・途上(とじょう)・別途(べっと)・前途(ぜんと)
透	音 トウ 訓 す(く) す(かす) す(ける)	辶	しんにょう しんにゅう	浸透(しんとう)・透明(とうめい)・透視(とうし)・透(す)き通(とお)る
鈍	音 ドン 訓 にぶ(い) にぶ(る)	釒	かねへん	鈍重(どんじゅう)・鈍感(どんかん)・鈍角(どんかく)・鈍(にぶ)い痛(いた)み
避	音 ヒ 訓 さ(ける)	辶	しんにょう しんにゅう	逃避(とうひ)・回避(かいひ)・避難(ひなん)・避(さ)けて通(とお)る
雄	音 ユウ 訓 お おす	隹	ふるとり	雌雄(しゆう)・雄飛(ゆうひ)・雄大(ゆうだい)・英雄(えいゆう)・雄花(おばな)・雄犬(おすいぬ)

配当漢字表①読み

目標時間 15分

合格ライン 34点

得点 /48

月　日

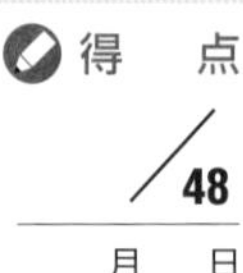

● 次の――線の**漢字の読み**を**ひらがな**で記せ。

1 今朝、濃霧注意報が出た。
2 被告人が黙秘権を行使する。
3 業者に仕事を依頼した。
4 威勢のいいかけ声が聞こえる。
5 社内屈指の情報通と言われている。
6 人に迷惑をかけてしまった。
7 商売が暇ではしようがない。
8 とうとう馬脚をあらわした。
9 この坂道は傾斜がきつい。
10 事件の詳細が述べられた。

解答

1 のうむ
2 もくひけん
3 いらい
4 いせい
5 くっし
6 めいわく
7 ひま
8 ばきゃく
9 けいしゃ
10 しょうさい

11 まさに迫真の演技だった。
12 年を経るにつれ記憶が薄れる。
13 背中に鋭い視線を感じた。
14 観覧席で野球の応援をする。
15 敵が汚い手を使った。
16 選挙で大量の票を獲得する。
17 不況に回復のきざしが見えた。
18 夜道で暴漢に襲われる。
19 警備員が会社を巡回する。
20 部屋を色とりどりの花で飾る。

解答

11 はくしん
12 うす
13 するど
14 おうえん
15 きたな
16 かくとく
17 ふきょう
18 おそ
19 じゅんかい
20 かざ

21 なんだか外が騒がしい。
22 長時間の使用に耐える。
23 熱病にかかり戦線を離脱する。
24 使途不明金について調査する。
25 この湖は透明度が低い。
26 薬の副作用で味覚が鈍感になる。
27 あわてて避難を始めた。
28 雄大な自然のながめに見入る。
29 味の濃い料理は好きではない。
30 しばらく黙って様子を見る。
31 頼まれ事をやりとげる。
32 彼の言葉に惑わされてはいけない。
33 兄は寸暇をおしんで勉強した。
34 少しずつ雨脚が強まる。

21 さわ
22 た
23 りだつ
24 しと
25 とうめい
26 どんかん
27 ひなん
28 ゆうだい
29 こ
30 だま
31 たの
32 まど
33 すんか
34 あまあし

35 クラシック音楽に耳を傾ける。
36 詳しい事情を聞く。
37 思いも寄らない危険が迫ってきた。
38 薄利多売の商法で成功する。
39 鋭敏な頭脳の持ち主だ。
40 輝かしい歴史に汚点を残した。
41 ライオンが獲物をねらっている。
42 何者かの襲撃を受けた。
43 世界各地を巡って風景写真をとる。
44 世界的な服飾デザイナーとなる。
45 騒動のなかで沈黙を守る。
46 二十四時間耐久レースに出場する。
47 向こうが透けて見える。
48 暗い道を避けて帰る。

35 かたむ
36 くわ
37 せま
38 はくり
39 えいびん
40 おてん
41 えもの
42 しゅうげき
43 めぐ
44 ふくしょく
45 そうどう
46 たいきゅう
47 す
48 さ

配当漢字表②

漢字	読み	部首	部首名	用例
露	音 ロ・ロウ　訓 つゆ	⻗	あめかんむり	吐露・結露・露天　露にぬれる・夜露
偉	音 イ　訓 えら(い)	亻	にんべん	偉人・偉業・偉大・偉容　偉い人
違	音 イ　訓 ちが(う)・ちが(える)	辶	しんにょう／しんにゅう	相違・違反・違和感　道を間違える
儀	音 ギ　訓 ―	亻	にんべん	儀式・礼儀・行儀・威儀・地球儀・流儀
拠	音 キョ・コ　訓 ―	扌	てへん	根拠・占拠・拠点・証拠
駆	音 ク　訓 か(ける)・か(る)	馬	うまへん	駆除・先駆・駆使　駆け出す・馬を駆る

漢字	読み	部首	部首名	用例
載	音 サイ　訓 の(せる)・の(る)	車	くるま	積載・満載・記載・連載　記事を載せる
寂	音 ジャク・セキ㊕　訓 さび・さび(しい)・さび(れる)	宀	うかんむり	静寂　わびと寂・寂しい風景
触	音 ショク　訓 ふ(れる)・さわ(る)	角	つのへん	接触・触発・感触・触角　心に触れる・手で触る
寝	音 シン　訓 ね(る)・ね(かす)	宀	うかんむり	就寝・寝食・寝台　昼寝・寝床・寝耳に水
鮮	音 セン　訓 あざ(やか)	魚	うおへん	鮮烈・生鮮・鮮魚・鮮明　鮮やかな色
弾	音 ダン　訓 ひ(く)・はず(む)・たま	弓	ゆみへん	弾圧・弾力・実弾　楽器を弾く・ボールが弾む

同音で形が似ているものに「偉」と「違」や、「摘」と「滴」「適」「敵」などがあるよ。用例をチェック！

漢字	読み	部首	部首名	用例
摘	音 テキ 訓 つ(む)	扌	てへん	指摘(してき)・摘出(てきしゅつ)・摘発(てきはつ) 花(はな)を摘(つ)む
渡	音 ト 訓 わた(る) わた(す)	氵	さんずい	過渡期(かとき)・渡来(とらい)・渡航(とこう) 手渡(てわた)す
逃	音 トウ 訓 に(げる) に(がす) のが(す) のが(れる)	辶	しんにょう しんにゅう	逃避(とうひ)・逃走(とうそう)・逃亡(とうぼう) 逃(に)げ出(だ)す・言(い)い逃(のが)れる
突	音 トツ 訓 つ(く)	穴	あなかんむり	突然(とつぜん)・突起(とっき)・突進(とっしん) 突(つ)き通(とお)す
範	音 ハン 訓 ―	竹	たけかんむり	範囲(はんい)・規範(きはん)・広範(こうはん)
敏	音 ビン 訓 ―	攵	のぶん ぼくづくり	敏速(びんそく)・鋭敏(えいびん)・敏感(びんかん)・敏腕(びんわん)・ 機敏(きびん)
舞	音 ブ 訓 ま(う) まい	舛	まいあし	舞踊(ぶよう)・鼓舞(こぶ)・舞台(ぶたい) 舞(ま)い散(ち)る・舞子(まいこ)
傍	音 ボウ 訓 かたわ(ら)㊫	亻	にんべん	傍観(ぼうかん)・路傍(ろぼう)・(傍聴(ぼうちょう))

漢字	読み	部首	部首名	用例
妙	音 ミョウ 訓 ―	女	おんなへん	奇妙(きみょう)・妙案(みょうあん)・絶妙(ぜつみょう)・神妙(しんみょう)
猛	音 モウ 訓 ―	犭	けものへん	猛暑(もうしょ)・猛威(もうい)・勇猛(ゆうもう)
離	音 リ 訓 はな(れる) はな(す)	隹	ふるとり	離脱(りだつ)・別離(べつり)・距離(きょり) 親元(おやもと)を離(はな)れる
涙	音 ルイ 訓 なみだ	氵	さんずい	感涙(かんるい)・落涙(らくるい)・(催涙弾(さいるいだん)) 涙(なみだ)もろい
烈	音 レツ 訓 ―	灬	れんが れっか	強烈(きょうれつ)・鮮烈(せんれつ)・烈火(れっか)・痛烈(つうれつ)・ 猛烈(もうれつ)
握	音 アク 訓 にぎ(る)	扌	てへん	握手(あくしゅ)・握力(あくりょく)・一握(いちあく) 手(て)を握(にぎ)る
介	音 カイ 訓 ―	人	ひとやね	介入(かいにゅう)・介護(かいご)・紹介(しょうかい)・介抱(かいほう)
壊	音 カイ 訓 こわ(す) こわ(れる)	土	つちへん	破壊(はかい)・全壊(ぜんかい)・倒壊(とうかい) 物(もの)を壊(こわ)す

配当漢字表②読み

目標時間 15分

合格ライン 34点

得点 ／48

月　日

● 次の――線の**漢字の読み**を**ひらがな**で記せ。

1 宿に着いて露天ぶろに入った。
2 先祖は偉大な人物だった。
3 最近の流行語に違和感を覚える。
4 青年は礼儀正しかった。
5 反対の根拠を示して話す。
6 害虫の駆除を依頼する。
7 顔写真が新聞に載った。
8 祭りが終わったあとは寂しい。
9 この行為は法律に抵触する。
10 今の話は寝耳に水だ。

解答

1 ろてん
2 いだい
3 いわかん
4 れいぎ
5 こんきょ
6 くじょ
7 の
8 さび
9 ていしょく
10 ねみみ

11 芝の鮮やかな緑が目についた。
12 規則を弾力的に運用する。
13 ブルーベリーの実を摘む。
14 思春期は大人への過渡期だ。
15 ようやく危機から逃れた。
16 突然のできごとに驚いた。
17 試験範囲を確認する。
18 敏速に行動することが大切だ。
19 試合に向けて選手の士気を鼓舞する。
20 言い争いを傍観していた。

解答

11 あざ
12 だんりょく
13 つ
14 かとき
15 のが
16 とつぜん
17 はんい
18 びんそく
19 こぶ
20 ぼうかん

21 奇妙な音が響いてきた。
22 台風は一晩中猛威を振るった。
23 別離を歌う歌謡曲が流れる。
24 喜びのあまり、感涙にむせぶ。
25 今年の夏は強烈な暑さだ。
26 彼は強く私の手を握りしめた。
27 祖母の介護に明け暮れる。
28 すべてが破壊されてしまった。
29 夜露が朝日を浴びて輝いている。
30 偉そうなことばかり言っている。
31 道を間違えてしまった。
32 こつこつと証拠を集める。
33 馬を駆って走り去った。
34 小説が雑誌に連載される。

21 きみょう
22 もうい
23 べつり
24 かんるい
25 きょうれつ
26 にぎ
27 かいご
28 はかい
29 よつゆ
30 えら
31 まちが
32 しょうこ
33 か
34 れんさい

35 一瞬の静寂があった。
36 触らぬ神にたたりなしと避ける。
37 休みの日も就寝時刻を守る。
38 鮮明な画像が映し出される。
39 久しぶりに友と会って話が弾んだ。
40 手術で胃の一部を摘出した。
41 途中で二度、川を渡った。
42 現実逃避はよくない。
43 戦いに負けた原因を突き止める。
44 路面に花びらが舞い散る。
45 両親と離れて暮らす。
46 最近、涙もろくて困る。
47 二人は固い握手を交わした。
48 大事にしていた時計が壊れた。

35 せいじゃく
36 さわ
37 しゅうしん
38 せんめい
39 はず
40 てきしゅつ
41 わた
42 とうひ
43 つ
44 ま
45 はな
46 なみだ
47 あくしゅ
48 こわ

配当漢字表③

漢字	読み	部首	部首名	用例
汗	音 カン 訓 あせ	氵	さんずい	汗顔・発汗 寝汗・汗水たらして働く
含	音 ガン 訓 ふく(む) ふく(める)	口	くち	含有・含蓄・含味 口に含む
奇	音 キ 訓 ——	大	だい	数奇・好奇心・奇術・奇抜・ 奇跡
及	音 キュウ 訓 およ(ぶ) およ(び) およ(ぼす)	又	また	及第・波及・普及 影響が及ぶ
朽	音 キュウ 訓 く(ちる)	木	きへん	不朽・老朽化 柱が朽ちる
仰	音 ギョウ コウ 訓 あお(ぐ) おお(せ)高	亻	にんべん	仰視・仰天・信仰 空を仰ぐ

漢字	読み	部首	部首名	用例
恵	音 ケイ エ 訓 めぐ(む)	心	こころ	恩恵・互恵・知恵 恵まれた環境
堅	音 ケン 訓 かた(い)	土	つち	堅持・堅実・堅固 堅い材木
誇	音 コ 訓 ほこ(る)	言	ごんべん	誇張・誇大・誇示 速さを誇る
恒	音 コウ 訓 ——	忄	りっしんべん	恒例・恒久・恒星
斜	音 シャ 訓 なな(め)	斗	とます	傾斜・斜塔・斜面 斜めの道
殖	音 ショク 訓 ふ(える) ふ(やす)	歹	かばねへん いちたへん がつへん	生殖・繁殖・殖産 財産を殖やす

「含」の部首は「口（くち）」で、「へ（ひとやね）」ではないので要注意！

漢字	読み	部首	部首名	用例
沈	音 チン 訓 しず(む) しず(める)	氵	さんずい	沈殿(ちんでん)・浮沈(ふちん)・沈黙(ちんもく) 日(ひ)が沈(しず)む
添	音 テン 訓 そ(える) そ(う)	氵	さんずい	添付(てんぷ)・添加物(てんかぶつ)・添乗員(てんじょういん) 書(か)き添(そ)える
怖	音 フ 訓 こわ(い)	忄	りっしんべん	恐怖(きょうふ) 怖(こわ)い夢(ゆめ)を見(み)る
腐	音 フ 訓 くさ(る) くさ(れる) くさ(らす)	肉	にく	腐敗(ふはい)・腐食(ふしょく)・腐心(ふしん) 魚(さかな)が腐(くさ)る
忙	音 ボウ 訓 いそが(しい)	忄	りっしんべん	繁忙(はんぼう)・忙殺(ぼうさつ)・多忙(たぼう) 仕事(しごと)が忙(いそが)しい
冒	音 ボウ 訓 おか(す)	曰	ひらび いわく	冒頭(ぼうとう)・冒険(ぼうけん)・感冒(かんぼう) 危険(きけん)を冒(おか)す
霧	音 ム 訓 きり	雨	あめかんむり	濃霧(のうむ)・霧散(むさん)・霧氷(むひょう)・霧笛(むてき) 霧(きり)が晴(は)れる
紋	音 モン 訓 ――	糸	いとへん	紋付(もんつき)・家紋(かもん)・波紋(はもん)

漢字	読み	部首	部首名	用例
躍	音 ヤク 訓 おど(る)	𧾷	あしへん	躍進(やくしん)・跳躍(ちょうやく)・躍起(やっき)・飛躍(ひやく) 胸(むね)が躍(おど)る
慮	音 リョ 訓 ――	心	こころ	思慮(しりょ)・考慮(こうりょ)・遠慮(えんりょ)・浅慮(せんりょ)・配慮(はいりょ)
隠	音 イン 訓 かく(す) かく(れる)	阝	こざとへん	隠居(いんきょ)・隠然(いんぜん)・隠語(いんご) 後(うし)ろに隠(かく)れる
憶	音 オク 訓 ――	忄	りっしんべん	憶測(おくそく)・記憶(きおく)・追憶(ついおく)
甘	音 カン 訓 あま(い) あま(える) あま(やかす)	甘	かん あまい	甘受(かんじゅ)・甘味料(かんみりょう)・甘言(かんげん) 甘口(あまくち)の酒(さけ)
乾	音 カン 訓 かわ(く) かわ(かす)	乙	おつ	乾季(かんき)・乾燥(かんそう)・乾電池(かんでんち) 服(ふく)を乾(かわ)かす
監	音 カン 訓 ――	皿	さら	監視(かんし)・監査(かんさ)・監修(かんしゅう)
輝	音 キ 訓 かがや(く)	車	くるま	光輝(こうき)・輝石(きせき) 輝(かがや)かしい未来(みらい)

配当漢字表③読み

得点
／48
月　日

● 次の――線の**漢字の読み**を**ひらがな**で記せ。

1 つたない作品で汗顔の至りです。
2 かんで含めるように言う。
3 数奇な運命をたどる。
4 力の及ぶ限り最後まで努力する。
5 老朽化したビルを建て直す。
6 名コーチの指導を仰ぐ。
7 多大な恩恵を受ける。
8 先人の教えを堅持する。
9 私は父を誇りに思う。
10 世界の恒久の平和を願う。

解答
1 かんがん
2 ふく
3 すうき
4 およ
5 ろうきゅう
6 あお
7 おんけい
8 けんじ
9 ほこ
10 こうきゅう

11 壁の額が少し斜めになっている。
12 この植物は繁殖力が強い。
13 沈殿した物質を取り出す。
14 代金を添えて申し込んだ。
15 ホラー映画を見て恐怖におののく。
16 夏は食べ物が腐りやすい。
17 仕事がとても忙しい。
18 名作の冒頭の一節を暗唱する。
19 山あいに霧がかかる。
20 これが我が家の家紋です。

解答
11 なな
12 はんしょく
13 ちんでん
14 そ
15 きょうふ
16 くさ
17 いそが
18 ぼうとう
19 きり
20 かもん

21 跳躍の練習を繰り返す。
22 自分たちの浅慮をくやむ。
23 だれに対しても隠し事はしない。
24 単なる憶測に過ぎない。
25 世間の非難を甘受する。
26 ぬれたタオルを乾かす。
27 監視の目をくぐって通り抜けた。
28 輝かしい未来が約束されている。
29 社長の話は含蓄に富んでいた。
30 奇抜な着想が注目された。
31 パソコンの普及率はめざましい。
32 古い小屋が朽ち果てた。
33 その知らせに仰天した。
34 材質の堅いものを選ぶ。

21 ちょうやく
22 せんりょ
23 かく
24 おくそく
25 かんじゅ
26 かわ
27 かんし
28 かがや
29 がんちく
30 きばつ
31 ふきゅう
32 く
33 ぎょうてん
34 かた

35 友人の話は誇張されている。
36 急な斜面を転がり落ちる。
37 株の売買で財産を殖やす。
38 弟が珍しく沈み込んでいる。
39 メールに資料を添付して送る。
40 怖い夢を見て目が覚めた。
41 政治の腐敗を批判する。
42 異動後は仕事に忙殺された。
43 危険を冒して先に進む。
44 遠くから霧笛が響いてきた。
45 ついに先頭集団に躍り出た。
46 隠然たる影響力を持っていた。
47 冬は空気が乾燥している。
48 光輝ある歴史と伝統を誇る。

35 こちょう
36 しゃめん
37 ふ
38 しず
39 てんぷ
40 こわ
41 ふはい
42 ぼうさつ
43 おか
44 むてき
45 おど
46 いんぜん
47 かんそう
48 こうき

配当漢字表④

漢字	読み	部首	部首名	用例
却	音 キャク 訓 ―	卩	わりふ ふしづくり	却下(きゃっか)・返却(へんきゃく)・売却(ばいきゃく)・退却(たいきゃく)
響	音 キョウ 訓 ひび(く)	音	おと	反響(はんきょう)・交響曲(こうきょうきょく)・影響(えいきょう) 声(こえ)が響(ひび)く
掘	音 クツ 訓 ほ(る)	扌	てへん	発掘(はっくつ)・採掘(さいくつ) 穴(あな)を掘(ほ)る
遣	音 ケン 訓 つか(う) つか(わす)	辶	しんにょう しんにゅう	派遣(はけん)・先遣隊(せんけんたい)・遣唐使(けんとうし) 小遣(こづか)い・使者(ししゃ)を遣(つか)わす
稿	音 コウ 訓 ―	禾	のぎへん	投稿(とうこう)・原稿(げんこう)・寄稿(きこう)
鎖	音 サ 訓 くさり	金	かねへん	連鎖(れんさ)・鎖国(さこく)・閉鎖(へいさ) 鎖(くさり)でつなぐ

漢字	読み	部首	部首名	用例
盾	音 ジュン 訓 たて	目	め	矛盾(むじゅん) 後(うし)ろ盾(だて)・先輩(せんぱい)に盾突(たてつ)く
慎	音 シン 訓 つつし(む)	忄	りっしんべん	慎重(しんちょう)・(謹慎(きんしん)) 態度(たいど)を慎(つつし)む
占	音 セン 訓 し(める) うらな(う)	ト	と うらない	占拠(せんきょ)・占領(せんりょう)・独占(どくせん) 味(あじ)を占(し)める・運勢(うんせい)を占(うらな)う
即	音 ソク 訓 ―	卩	わりふ ふしづくり	即応(そくおう)・即売会(そくばいかい)・即位(そくい)・即座(そくざ)
拓	音 タク 訓 ―	扌	てへん	開拓(かいたく)・干拓(かんたく)・拓本(たくほん)
致	音 チ 訓 いた(す)	至	いたる	合致(がっち)・致命的(ちめいてき)・極致(きょくち) 思(おも)いを致(いた)す

「掘」は動詞の「掘る」、準2級配当漢字の「堀」は名詞の「堀(ほり)」。「致」と「到」の字形にも注意しよう!

漢字	読み	部首	部首名	用例
蓄	音 チク 訓 たくわ(える)	艹	くさかんむり	含蓄(がんちく)・蓄積(ちくせき)・貯蓄(ちょちく) 力(ちから)を蓄(たくわ)える
吐	音 ト 訓 は(く)	口	くちへん	吐露(とろ)・吐息(といき)・吐血(とけつ) 息(いき)を吐(は)く
拍	音 ハク ヒョウ 訓 ―	扌	てへん	拍手(はくしゅ)・拍車(はくしゃ)・手拍子(てびょうし)
泊	音 ハク 訓 と(まる) と(める)	氵	さんずい	停泊(ていはく)・外泊(がいはく)・淡泊(たんぱく) 宿(やど)に泊(と)まる
抜	音 バツ 訓 ぬ(く) ぬ(ける) ぬ(かす) ぬ(かる)	扌	てへん	抜歯(ばっし)・奇抜(きばつ)・選抜(せんばつ)・抜群(ばつぐん) 気(き)を抜(ぬ)く
繁	音 ハン 訓 ―	糸	いと	繁忙(はんぼう)・繁栄(はんえい)・繁殖(はんしょく)
噴	音 フン 訓 ふ(く)	口	くちへん	噴火(ふんか)・噴出(ふんしゅつ)・噴水(ふんすい) 溶岩(ようがん)が噴(ふ)き出(で)る
壁	音 ヘキ 訓 かべ	土	つち	岸壁(がんぺき)・壁画(へきが)・壁面(へきめん) 白壁(しらかべ)の家(いえ)

漢字	読み	部首	部首名	用例
舗	音 ホ 訓 ―	舌	した	舗装(ほそう)・店舗(てんぽ)・舗道(ほどう)
凡	音 ボン ハン高 訓 ―	几	つくえ	非凡(ひぼん)・平凡(へいぼん)・凡才(ぼんさい)
茂	音 モ 訓 しげ(る)	艹	くさかんむり	繁茂(はんも)・茂生(もせい) 草木(くさき)が茂(しげ)る
誉	音 ヨ 訓 ほま(れ)	言	げん	栄誉(えいよ)・名誉(めいよ)・称誉(しょうよ) 誉(ほま)れが高(たか)い
溶	音 ヨウ 訓 と(ける) と(かす) と(く)	氵	さんずい	溶液(ようえき)・溶岩(ようがん)・溶解(ようかい) 水(みず)に溶(と)かす
粒	音 リュウ 訓 つぶ	米	こめへん	粒子(りゅうし)・素粒子(そりゅうし) 一粒(ひとつぶ)・米粒(こめつぶ)
療	音 リョウ 訓 ―	疒	やまいだれ	医療(いりょう)・治療(ちりょう)・療養(りょうよう)
劣	音 レツ 訓 おと(る)	力	ちから	劣悪(れつあく)・劣勢(れっせい)・優劣(ゆうれつ) 技量(ぎりょう)が劣(おと)る

配当漢字表④読み

目標時間 15分

合格ライン 34点

得点 /48

月 日

● 次の――線の**漢字の読み**を**ひらがな**で記せ。

1 提案はあっさり却下された。
2 新商品は大きな反響を集めた。
3 道が掘り返されている。
4 災害現場に救助隊を派遣する。
5 新聞に評論を寄稿する。
6 犬を鎖でつないでおく。
7 彼の話には矛盾が多い。
8 慎重に言葉を選んで話す。
9 デモ隊が道路を占拠する。
10 時代に即応した宣伝を考える。

解答
1 きゃっか
2 はんきょう
3 ほ
4 はけん
5 きこう
6 くさり
7 むじゅん
8 しんちょう
9 せんきょ
10 そくおう

11 干拓事業が中止された。
12 致命的な傷となった。
13 体に疲労が蓄積されている。
14 かぜが悪化し吐き気をもよおす。
15 失業者の増加に拍車をかけた。
16 外国からの客を家に泊める。
17 自転車のタイヤの空気が抜けた。
18 今月は我が社の繁忙期だ。
19 従業員の不満が噴出する。
20 ヤモリが壁にはりついていた。

解答
11 かんたく
12 ちめい
13 ちくせき
14 は
15 はくしゃ
16 と
17 ぬ
18 はんぼう
19 ふんしゅつ
20 かべ

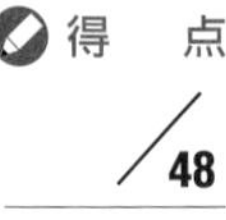

21 道路をアスファルトで舗装する。
22 音楽に非凡な才能を見せた。
23 裏の空き地に雑草が繁茂した。
24 彼は秀才の誉れが高い。
25 火口から溶岩が流れ出る。
26 米は一粒でも大事にしよう。
27 海辺に転地して療養を続ける。
28 こちらの機械は性能が劣る。
29 心に響く言葉を聞く。
30 ここは石炭の採掘現場だ。
31 他国に使者を遣わす。
32 笑いの連鎖反応が起きる。
33 規則を盾に要求に応じない。
34 もう少し行動を慎みなさい。

21 ほそう
22 ひぼん
23 はんも
24 ほま
25 ようがん
26 つぶ
27 りょうよう
28 おと
29 ひび
30 さいくつ
31 つか
32 れんさ
33 たて
34 つつし

35 反対する人が大半を占めた。
36 私の不徳の致すところです。
37 老後の蓄えを心配する。
38 いつわらざる心情を吐露する。
39 手で拍子を取って歌う。
40 姉には淡泊なところがある。
41 弟は抜群の運動神経を持っている。
42 裏山から温泉が噴き出した。
43 岸壁で船を出迎える。
44 この店舗は内装にこだわっている。
45 夏草の茂る土手の道を行く。
46 小麦粉を水で溶いてこねる。
47 細かい粒子も除去するフィルターだ。
48 会心の一発が劣勢をはね返した。

35 し
36 いた
37 たくわ
38 とろ
39 ひょうし
40 たんぱく
41 ばつぐん
42 ふ
43 がんぺき
44 てんぽ
45 しげ
46 と
47 りゅうし
48 れっせい

配当漢字表⑤

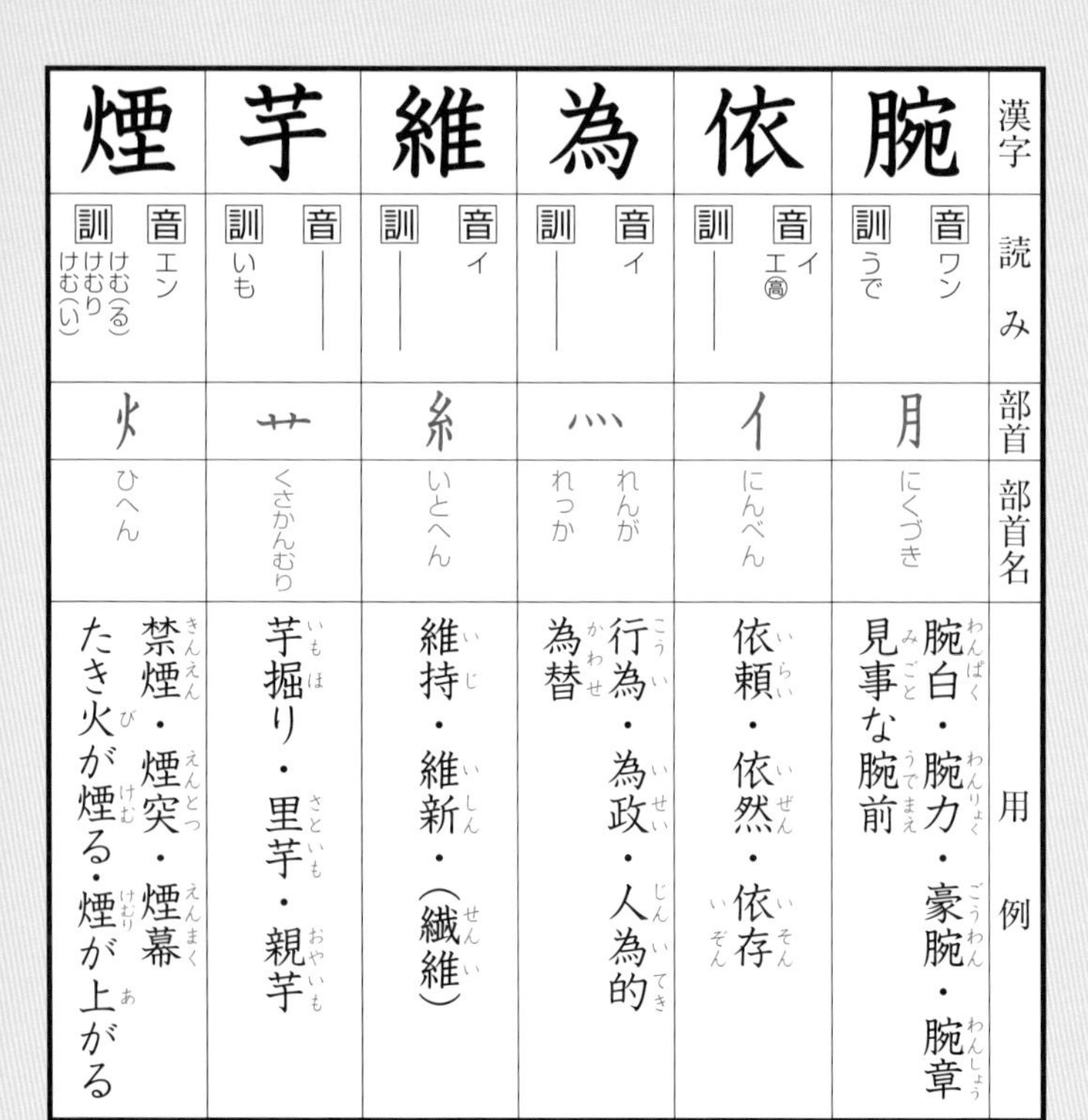

漢字	読み（音）	読み（訓）	部首	部首名	用例
腕	ワン	うで	月	にくづき	腕白・腕力・豪腕・腕章 見事な腕前
依	イ エ㊓	―	亻	にんべん	依頼・依然・依存
為	イ	―	灬	れんが れっか	行為・為政・人為的 為替
維	イ	―	糸	いとへん	維持・維新・（繊維）
芋	―	いも	艹	くさかんむり	芋掘り・里芋・親芋
煙	エン	けむ(る) けむり けむ(い)	火	ひへん	禁煙・煙突・煙幕 たき火が煙る・煙が上がる

漢字	読み（音）	読み（訓）	部首	部首名	用例
箇	カ	―	⺮	たけかんむり	箇条書き・箇所
戒	カイ	いまし(める)	戈	ほこづくり ほこがまえ	戒律・戒告・警戒 自らを戒める
歓	カン	―	欠	あくび かける	歓喜・歓迎・交歓・歓待
祈	キ	いの(る)	礻	しめすへん	祈念・祈願 神に祈る
幾	キ	いく	幺	よう いとがしら	幾何学 幾ら・幾多
恐	キョウ	おそ(れる) おそ(ろしい)	心	こころ	恐縮・恐怖 感染を恐れる

漢字	読み（音）	読み（訓）	部首	部首名	用例
継	ケイ	つ(ぐ)	糸	いとへん	継承(けいしょう)・継続(けいぞく)・中継(ちゅうけい) 跡(あと)を継(つ)ぐ
迎	ゲイ	むか(える)	辶	しんにょう しんにゅう	迎合(げいごう)・送迎(そうげい)・歓迎(かんげい) 客(きゃく)を迎(むか)える
撃	ゲキ	う(つ)	手	て	攻撃(こうげき)・目撃(もくげき)・撃退(げきたい)・砲撃(ほうげき) 鉄砲(てっぽう)を撃(う)つ
枯	コ	か(れる) か(らす)	木	きへん	枯淡(こたん)・枯死(こし)・栄枯(えいこ) 木(き)が枯(か)れる
鼓	コ	つづみ㊂	鼓	つづみ	太鼓(たいこ)・鼓舞(こぶ)・鼓吹(こすい)・鼓動(こどう)
豪	ゴウ	―	豕	ぶた いのこ	豪快(ごうかい)・強豪(きょうごう)・豪族(ごうぞく)・豪放(ごうほう)・豪雨(ごうう)
刺	シ	さ(す) さ(さる)	刂	りっとう	風刺(ふうし)・名刺(めいし)・刺激(しげき) 針(はり)を刺(さ)す
脂	シ	あぶら	月	にくづき	脂肪(しぼう)・樹脂(じゅし)・油脂(ゆし) 脂汗(あぶらあせ)が出(で)る・脂(あぶら)が乗(の)る

漢字	読み（音）	読み（訓）	部首	部首名	用例
執	シツ シュウ	と(る)	土	つち	執務(しつむ)・執筆(しっぴつ)・執念(しゅうねん)・執着(しゅうちゃく/しゅうじゃく) 指揮(しき)を執(と)る
趣	シュ	おもむき	走	そうにょう	趣旨(しゅし)・趣味(しゅみ)・野趣(やしゅ) 趣(おもむき)がある
需	ジュ	―	雨	あめかんむり	必需品(ひつじゅひん)・需要(じゅよう)・内需(ないじゅ)
旬	ジュン シュン	―	日	ひ	旬刊(じゅんかん)・初旬(しょじゅん)・上旬(じょうじゅん)・ 旬(しゅん)の野菜(やさい)
床	ショウ	とこ ゆか	广	まだれ	臨床(りんしょう)・病床(びょうしょう)・起床(きしょう) 床(とこ)の間(ま)・床下(ゆかした)
称	ショウ	―	禾	のぎへん	称号(しょうごう)・称賛(しょうさん)・名称(めいしょう)・愛称(あいしょう)
浸	シン	ひた(す) ひた(る)	氵	さんずい	浸水(しんすい)・浸透(しんとう)・浸入(しんにゅう) 悲(かな)しみに浸(ひた)る
尋	ジン	たず(ねる)	寸	すん	尋常(じんじょう)・尋問(じんもん) 名前(なまえ)を尋(たず)ねる

配当漢字表⑤読み

目標時間 15分

合格ライン 34点

得点 ／48

月 日

● 次の――線の**漢字の読み**を**ひらがな**で記せ。

1 料理の腕を競う大会がある。
2 資源の多くを外国に依存している。
3 不法行為を摘発する。
4 台風は勢力を維持したままだ。
5 芋を洗うような混雑ぶりだ。
6 遠くに白い煙が上がる。
7 聞いた内容を箇条書きにする。
8 このお寺は戒律が厳しい。
9 訪問先で温かな歓待を受ける。
10 家族の健康を心から祈る。

解答

1 うで
2 いそん（いぞん）
3 こうい
4 いじ
5 いも
6 けむり
7 かじょう
8 かいりつ
9 かんたい
10 いの

11 壁面には幾何学模様が描かれていた。
12 なにも恐れることはない。
13 父の跡を継いで漁師になる。
14 チームの選手を拍手で迎える。
15 鉄砲でクマを撃つ。
16 老優の枯れた演技がさえる。
17 祭りで太鼓を打ち鳴らす。
18 彼は豪放な性格だった。
19 指にとげが刺さった。
20 松やには樹脂の一種である。

解答

11 きかがく
12 おそ
13 つ
14 むか
15 う
16 か
17 たいこ
18 ごうほう
19 さ
20 じゅし

21 自伝的小説を執筆する。
22 話の趣旨を理解する。
23 需要と供給のバランスをとる。
24 旬刊の小冊子を発行する。
25 ワックスで床をみがいた。
26 多くの人の称賛を得た。
27 経営理念を社員に浸透させる。
28 警官に厳しく尋問された。
29 彼はすぐに腕力に訴える。
30 人為的な操作が加えられた。
31 工場の煙突が見える。
32 メンバーの規則違反を戒める。
33 平和を祈念して黙とうをささげる。
34 あの子は幾つになっただろうか。

21 しっぴつ
22 しゅし
23 じゅよう
24 じゅんかん
25 ゆか
26 しょうさん
27 しんとう
28 じんもん
29 わんりょく
30 じんい
31 えんとつ
32 いまし
33 きねん
34 いく

35 目上の人の気遣いに恐縮する。
36 人間国宝の技を継承する。
37 晩年は大衆に迎合した作品が多い。
38 砲撃の様子がテレビに映された。
39 枯淡の境地を思わせる山水画だ。
40 弱気になりそうな自分を鼓舞する。
41 社会を風刺した漫画だ。
42 仕事に脂が乗ってきた。
43 大会の実現に執念を燃やす。
44 なかなか趣のある庭だ。
45 有能な臨床医を数多く育てる。
46 冷たい水に手を浸す。
47 為替で代金を送る。
48 定刻に開会式を執り行う。

35 きょうしゅく
36 けいしょう
37 げいごう
38 ほうげき
39 こたん
40 こぶ
41 ふうし
42 あぶら
43 しゅうねん
44 おもむき
45 りんしょう
46 ひた
47 かわせ
48 と

配当漢字表①

漢字	読み	部首	部首名	用例
征	音 セイ 訓 ―	彳	ぎょうにんべん	遠征・征服・征討
濁	音 ダク 訓 にご(る) にご(す)	氵	さんずい	汚濁・濁流・清濁 水が濁る
淡	音 タン 訓 あわ(い)	氵	さんずい	濃淡・淡水・冷淡・淡淡 淡雪・淡い色合い
遅	音 チ 訓 おく(れる) おく(らす) おそ(い)	辶	しんにょう しんにゅう	遅刻・遅延・遅配 電車が遅れる・遅い時間
倒	音 トウ 訓 たお(れる) たお(す)	亻	にんべん	倒壊・転倒・倒産 強豪を倒す
悩	音 ノウ 訓 なや(む) なや(ます)	忄	りっしんべん	苦悩 悩み事

漢字	読み	部首	部首名	用例
輩	音 ハイ 訓 ―	車	くるま	輩出・後輩・年輩
販	音 ハン 訓 ―	貝	かいへん	販路・市販・販売
盤	音 バン 訓 ―	皿	さら	序盤・円盤・盤石
被	音 ヒ 訓 こうむ(る)	衤	ころもへん	被害・被災・被告 損害を被る
微	音 ビ 訓 ―	彳	ぎょうにんべん	微妙・微熱・機微・ 微微たる量
匹	音 ヒツ 訓 ひき	匚	かくしがまえ	匹敵・匹夫 一匹・二匹

「慢」と「漫」は同音で形が似ているので間違えやすいよ。用例をチェック！

漢字	読み（音）	読み（訓）	部首	部首名	用例
描	ビョウ	えが(く) か(く)	扌	てへん	描写(びょうしゃ)・素描(そびょう)・点描画(てんびょうが) 思(おも)い描(えが)く・絵(え)を描(か)く
浮	フ	う(く) う(かれる) う(かぶ) う(かべる)	氵	さんずい	浮遊(ふゆう)・浮説(ふせつ)・浮上(ふじょう)・浮沈(ふちん) 浮(う)き世(よ)・舟(ふね)が浮(う)かぶ
捕	ホ	と(らえる) と(らわれる) と(る) つか(まえる) つか(まる)	扌	てへん	捕獲(ほかく)・捕手(ほしゅ) 虫(むし)を捕(と)る・犯人(はんにん)が捕(つか)まる
抱	ホウ	だ(く) いだ(く) かか(える)	扌	てへん	抱負(ほうふ)・介抱(かいほう) 野心(やしん)を抱(いだ)く・一抱(ひとかか)え
峰	ホウ	みね	山	やまへん	連峰(れんぽう)・名峰(めいほう)・主峰(しゅほう) 峰(みね)がそびえる
慢	マン	—	忄	りっしんべん	慢心(まんしん)・慢性(まんせい)・自慢(じまん)・高慢(こうまん)
漫	マン	—	氵	さんずい	漫然(まんぜん)・漫画(まんが)・散漫(さんまん)
眠	ミン	ねむ(る) ねむ(い)	目	めへん	安眠(あんみん)・不眠(ふみん)・冬眠(とうみん)・休眠(きゅうみん) 眠(ねむ)い目(め)をこする

漢字	読み（音）	読み（訓）	部首	部首名	用例
矛	ム	ほこ	矛	ほこ	矛盾(むじゅん) 矛先(ほこさき)
網	モウ	あみ	糸	いとへん	魚網(ぎょもう)・連絡網(れんらくもう) 金網(かなあみ)・網戸(あみど)
与	ヨ	あた(える)	一	いち	給与(きゅうよ)・寄与(きよ)・与党(よとう)・贈与(ぞうよ) 機会(きかい)を与(あた)える
謡	ヨウ	うたい(高) うた(う)(高)	言	ごんべん	童謡(どうよう)・民謡(みんよう)・歌謡(かよう)・謡曲(ようきょく)
扱	—	あつか(う)	扌	てへん	扱(あつか)い方(かた)・取(と)り扱(あつか)い
鉛	エン	なまり	金	かねへん	鉛管(えんかん)・鉛筆(えんぴつ)・黒鉛(こくえん) 鉛色(なまりいろ)の空(そら)
奥	オウ(高)	おく	大	だい	奥行(おくゆ)き・奥歯(おくば)・山奥(やまおく)
雅	ガ	—	隹	ふるとり	優雅(ゆうが)・風雅(ふうが)・雅楽(ががく)

配当漢字表①読み

目標時間 15分

合格ライン 34点

得点 ／48

月　日

● 次の――線の**漢字の読み**を**ひらがな**で記せ。

1 遠征試合のために海外に行く。
2 川の水が濁っている。
3 筆圧で色の濃淡をつける。
4 今年は桜前線の進み方が遅い。
5 台風で街路樹がなぎ倒された。
6 彼の言動はいつも人を悩ませる。
7 母校から多くの著名人が輩出した。
8 ネットを利用して販路を広げた。
9 試合はまだ序盤の段階だ。
10 被災者の生々しい体験談を聞く。

解答

1 えんせい
2 にご
3 のうたん
4 おそ
5 たお
6 なや
7 はいしゅつ
8 はんろ
9 じょばん
10 ひさい

11 話が微妙にくい違う。
12 弟の学力は大学生に匹敵する。
13 現実がよく描写されている。
14 驚きの表情を浮かべた。
15 警察官が犯人を捕らえる。
16 大きな問題を抱えている。
17 高い峰がそびえている。
18 相手に勝って慢心してしまった。
19 漫然と休日を過ごす。
20 地下には財宝の山が眠る。

解答

11 びみょう
12 ひってき
13 びょうしゃ
14 う
15 と
16 かか
17 みね
18 まんしん
19 まんぜん
20 ねむ

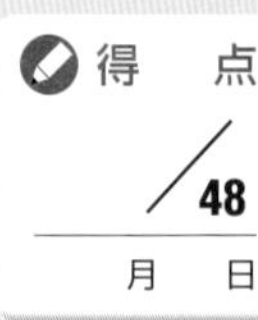

21 論理的な矛盾を洗い出す。
22 法の網をくぐって悪事を働く。
23 美しい歌は人々に感動を与えた。
24 なつかしい童謡を聞く。
25 この問題は慎重に扱うべきだ。
26 答えを鉛筆でていねいに書く。
27 間口はせまいが奥行きのある店だ。
28 日本的な風雅を解する人だ。
29 水質の汚濁について調査する。
30 まるで淡雪のようなはかなさだ。
31 事故で電車が遅延する。
32 倒壊家屋が放置されている。
33 人間は苦悩を経て深みを増す。
34 盤石の体制で試合にいどむ。

21 むじゅん
22 あみ
23 あた
24 どうよう
25 あつか
26 えんぴつ
27 おくゆ
28 ふうが
29 おだく
30 あわゆき
31 ちえん
32 とうかい
33 くのう
34 ばんじゃく

35 ひどい迷惑を被った。
36 将来の自分の姿を思い描く。
37 会社の浮沈にかかわる大問題だ。
38 数頭のイノシシを捕獲した。
39 友と未来の抱負を語り合った。
40 富士山（ふじさん）は日本一の名峰だ。
41 高慢な態度で人に接する。
42 注意力が散漫になる。
43 最近不眠に悩まされている。
44 非難の矛先を相手に向ける。
45 団地内の連絡網で通知する。
46 故人の遺産の贈与を受ける。
47 疲れて体が鉛のように重い。
48 人生の機微を知る。

35 こうむ
36 えが
37 ふちん
38 ほかく
39 ほうふ
40 めいほう
41 こうまん
42 さんまん
43 ふみん
44 ほこさき
45 れんらくもう
46 ぞうよ
47 なまり
48 きび

配当漢字表②

漢字	読み	部首	部首名	用例
刈	音 ―― 訓 か(る)	刂	りっとう	草刈(くさか)り・稲刈(いねか)り・丸刈(まるが)り
勧	音 カン 訓 すす(める)	力	ちから	勧告(かんこく)・勧業(かんぎょう)・(勧誘(かんゆう)) 参加(さんか)を勧(すす)める
戯	音 ギ 訓 たわむ(れる)㊗高	戈	ほこづくり ほこがまえ	戯曲(ぎきょく)・遊戯(ゆうぎ)・戯画(ぎが)
距	音 キョ 訓 ――	𧾷	あしへん	距離(きょり)・短距離走(たんきょりそう)
叫	音 キョウ 訓 さけ(ぶ)	口	くちへん	絶叫(ぜっきょう) 叫(さけ)び声(ごえ)
狭	音 キョウ高 訓 せま(い) せば(める) せば(まる)	犭	けものへん	狭(せま)い部屋(へや)・包囲網(ほういもう)を狭(せば)める

漢字	読み	部首	部首名	用例
兼	音 ケン 訓 か(ねる)	八	はち	兼任(けんにん)・兼務(けんむ)・兼業(けんぎょう)・兼用(けんよう) 二役(ふたやく)を兼(か)ねる
互	音 ゴ 訓 たが(い)	二	に	互角(ごかく)・相互(そうご)・互選(ごせん) 互(たが)いに助(たす)け合(あ)う
惨	音 サン ザン高 訓 みじ(め)高	忄	りっしんべん	悲惨(ひさん)・惨事(さんじ)・惨状(さんじょう)
旨	音 シ 訓 むね高	日	ひ	趣旨(しゅし)・要旨(ようし)・論旨(ろんし)
召	音 ショウ 訓 め(す)	口	くち	召集(しょうしゅう)・召致(しょうち)・応召(おうしょう) 召(め)し抱(かか)える
丈	音 ジョウ 訓 たけ	一	いち	丈夫(じょうぶ)・気丈(きじょう) 背丈(せたけ)・身(み)の丈(たけ)を知(し)る

「燥」は「操」や「繰」と間違えやすい。「徴」は「微」に形が似ているけれど、読みは違う。要注意！

漢字	読み	部首	部首名	用例
侵	音 シン 訓 おか(す)	亻	にんべん	侵入(しんにゅう)・侵害(しんがい)・侵略(しんりゃく) 人権(じんけん)を侵(おか)す
震	音 シン 訓 ふる(う) ふる(える)	雨	あめかんむり	震動(しんどう)・地震(じしん)・震災(しんさい) 声(こえ)が震(ふる)える
尽	音 ジン 訓 つ(くす) つ(きる) つ(かす)	尸	かばね しかばね	尽力(じんりょく)・無尽蔵(むじんぞう)・理不尽(りふじん) 全力(ぜんりょく)を尽(つ)くす
越	音 エツ 訓 こ(す) こ(える)	走	そうにょう	越年(えつねん)・越冬(えっとう)・優越感(ゆうえつかん)・越境(えっきょう) 年(とし)を越(こ)す
跡	音 セキ 訓 あと	足	あしへん	追跡(ついせき)・史跡(しせき)・形跡(けいせき) 城(しろ)の跡(あと)・跡形(あとかた)もない
訴	音 ソ 訓 うった(える)	言	ごんべん	起訴(きそ)・告訴(こくそ)・訴状(そじょう) 裁判所(さいばんしょ)に訴(うった)える
燥	音 ソウ 訓 ―	火	ひへん	乾燥(かんそう)・(焦燥感(しょうそうかん))
替	音 タイ 訓 か(える) か(わる)	曰	ひらび いわく	交替(こうたい)・代替(だいたい) 振替(ふりかえ)・着替(きが)え・日替(ひが)わり

漢字	読み	部首	部首名	用例
嘆	音 タン 訓 なげ(く) なげ(かわしい)	口	くちへん	感嘆(かんたん)・嘆願(たんがん)・嘆息(たんそく) 嘆(なげ)き悲(かな)しむ
端	音 タン 訓 はし は㊒ はた	立	たつへん	端正(たんせい)・端麗(たんれい)・端末(たんまつ)・極端(きょくたん) 端端(はしばし)・道端(みちばた)
徴	音 チョウ 訓 ―	彳	ぎょうにんべん	徴収(ちょうしゅう)・象徴(しょうちょう)・特徴(とくちょう)
澄	音 チョウ㊒ 訓 す(む) す(ます)	氵	さんずい	澄(す)み渡(わた)る・耳(みみ)を澄(す)ます
珍	音 チン 訓 めずら(しい)	王	おうへん たまへん	珍獣(ちんじゅう)・珍重(ちんちょう)・珍味(ちんみ) 珍(めずら)しい品(しな)
抵	音 テイ 訓 ―	扌	てへん	大抵(たいてい)・抵抗(ていこう)・抵当(ていとう)・抵触(ていしょく)
到	音 トウ 訓 ―	刂	りっとう	到着(とうちゃく)・殺到(さっとう)・周到(しゅうとう)
盗	音 トウ 訓 ぬす(む)	皿	さら	盗掘(とうくつ)・盗難(とうなん)・盗作(とうさく) 盗(ぬす)みに入(はい)る

配当漢字表②読み

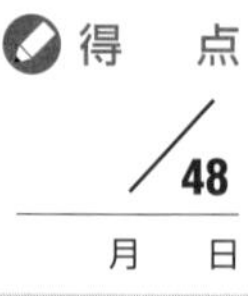

目標時間 15分

合格ライン 34点

得点 ／48

月　日

●次の――線の**漢字の読み**を**ひらがな**で記せ。

1 今年も稲刈りの季節になった。
2 避難の勧告が出された。
3 シェークスピアの戯曲を読む。
4 何十キロもの距離を歩き通した。
5 思わず叫び声を上げた。
6 あの人は視野が狭い。
7 練習を兼ねたリハーサルをする。
8 苦しいときはお互いに助け合う。
9 多数のけが人を出す惨事となった。
10 提案の要旨を説明する。

解答
1 か
2 かんこく
3 ぎきょく
4 きょり
5 さけ
6 せま
7 か
8 たが
9 さんじ
10 ようし

11 どうぞお召し上がりください。
12 気丈な母は決して弱音を吐かない。
13 人権侵害があったと申し立てる。
14 火山活動で地面が震動する。
15 何事も全力を尽くす。
16 昨年、この町に越してきた。
17 どこまでも犯人を追跡する。
18 人の心に訴える名演説だった。
19 乾燥しやすい季節になった。
20 お昼に日替わりランチを食べる。

解答
11 め
12 きじょう
13 しんがい
14 しんどう
15 つ
16 こ
17 ついせき
18 うった
19 かんそう
20 ひが

21 思わず感嘆の声を上げる。
22 喜びが言葉の端端に表れている。
23 その都度会費を徴収する。
24 大空はどこまでも澄んでいた。
25 珍しい品物を預かる。
26 この行為は法律に抵触する。
27 冒険には周到な準備がいる。
28 古代の国王の墓が盗掘される。
29 客にコーヒーを勧める。
30 遊園地で絶叫マシーンに乗る。
31 情報収集の範囲が狭まった。
32 一時的に副会長を兼務する。
33 相手と互角の戦いを繰り広げた。
34 道端に花が咲いている。

21 かんたん
22 はしばし
23 ちょうしゅう
24 す
25 めずら
26 ていしょく
27 しゅうとう
28 とうくつ
29 すす
30 ぜっきょう
31 せば
32 けんむ
33 ごかく
34 みちばた

35 特別国会を召集する。
36 この仏像は身の丈約二メートルだ。
37 基本的人権が侵される。
38 あまりの寒さに震えが止まらない。
39 地下資源は無尽蔵ではない。
40 実績では他に優越している。
41 建物は跡形も残っていなかった。
42 彼は告訴を決意した。
43 調子の悪い選手を交替させた。
44 現代の世相を嘆かわしく思う。
45 彼は端正な顔立ちをしていた。
46 天皇は象徴的な存在である。
47 夜間警備中に盗みに入られた。
48 山海の珍味を並べる。

35 しょうしゅう
36 たけ
37 おか
38 ふる
39 むじんぞう
40 ゆうえつ
41 あとかた
42 こくそ
43 こうたい
44 なげ
45 たんせい
46 しょうちょう
47 ぬす
48 ちんみ

配当漢字表③

漢字	読み（音）	読み（訓）	部首	部首名	用例
稲	トウ	いね いな	禾	のぎへん	水稲(すいとう)・陸稲(りくとう(おかぼ)) 稲刈(いねか)り・稲作(いなさく)・稲妻(いなずま)
闘	トウ	たたか(う)	門	もんがまえ	健闘(けんとう)・奮闘(ふんとう)・悪戦苦闘(あくせんくとう)・闘志(とうし) 病(やまい)と闘(たたか)う
胴	ドウ	――	月	にくづき	胴体(どうたい)・胴回(どうまわ)り・胴上(どうあ)げ
峠	――	とうげ	山	やまへん	峠(とうげ)の茶屋(ちゃや)・峠道(とうげみち)
髪	ハツ	かみ	髟	かみがしら	整髪(せいはつ)・頭髪(とうはつ)・危機一髪(ききいっぱつ) 髪型(かみがた)・髪飾(かみかざ)り
搬	ハン	――	扌	てへん	搬入(はんにゅう)・搬出(はんしゅつ)・運搬(うんぱん)・搬送(はんそう)

漢字	読み（音）	読み（訓）	部首	部首名	用例
彼	ヒ	かれ かの	亻	ぎょうにんべん	彼岸(ひがん)・彼我(ひが) 彼(かれ)と彼女(かのじょ)
膚	フ	――	肉	にく	皮膚(ひふ)・完膚(かんぷ)
幅	フク	はば	巾	はばへん きんべん	拡幅(かくふく)・増幅(ぞうふく)・振幅(しんぷく)・全幅(ぜんぷく) 幅跳(はばと)び
払	フツ㊫	はら(う)	扌	てへん	支払(しはら)い・払(はら)い込(こ)む・出払(ではら)う
柄	ヘイ㊫	がら え	木	きへん	人柄(ひとがら)・手柄(てがら)・作柄(さくがら)・ ほうきの柄(え)
踊	ヨウ	おど(る) おど(り)	足	あしへん	舞踊(ぶよう)・踊躍(ようやく) 盆踊(ぼんおど)り

「暦」の部首は「厂(がんだれ)」ではなく、「日(ひ)」だよ。要注意!

漢字	絡	麗	暦	恋	緯	陰	縁	皆
読み	音 ラク 訓 から(む)高 から(まる)高 から(める)高	音 レイ 訓 うるわ(しい)高	音 レキ 訓 こよみ	音 レン 訓 こ(う) こい こい(しい)	音 イ 訓 ―	音 イン 訓 かげ かげ(る)	音 エン 訓 ふち	音 カイ 訓 みな
部首	糸	鹿	日	心	糸	阝	糸	白
部首名	いとへん	しか	ひ	こころ	いとへん	こざとへん	いとへん	しろ
用例	連絡(れんらく)・脈絡(みゃくらく)・短絡(たんらく)	美麗(びれい)・端麗(たんれい)・秀麗(しゅうれい)	西暦(せいれき)・旧暦(きゅうれき)・暦年(れきねん) 暦(こよみ)をめくる	悲恋(ひれん)・恋愛(れんあい) 人(ひと)を恋(こ)う・恋人(こいびと)	北緯(ほくい)・経緯(けいい)・緯度(いど)	陰影(いんえい)・光陰(こういん)・陰暦(いんれき) 陰口(かげぐち)・物陰(ものかげ)・日(ひ)が陰(かげ)る	機縁(きえん)・縁故(えんこ)・縁日(えんにち)・縁起(えんぎ) 縁取(ふちど)りをする	皆勤(かいきん)・皆無(かいむ)・皆目(かいもく) 皆(みな)さん

漢字	鬼	詰	丘	巨	驚	軒	圏	玄
読み	音 キ 訓 おに	音 キツ高 訓 つ(める) つ(まる) つ(む)	音 キュウ 訓 おか	音 キョ 訓 ―	音 キョウ 訓 おどろ(く) おどろ(かす)	音 ケン 訓 のき	音 ケン 訓 ―	音 ゲン 訓 ―
部首	鬼	言	一	工	馬	車	囗	玄
部首名	おに	ごんべん	いち	たくみ え	うま	くるまへん	くにがまえ	げん
用例	鬼才(きさい)・吸血鬼(きゅうけつき)・鬼門(きもん) 鬼(おに)の面(めん)	箱詰(はこづ)め・煮詰(につ)まる・大詰(おおづ)め	砂丘(さきゅう)・段丘(だんきゅう) 丘(おか)の上(うえ)	巨額(きょがく)・巨漢(きょかん)・巨大(きょだい)	驚異(きょうい)・驚嘆(きょうたん)・驚天動地(きょうてんどうち) 驚(おどろ)くべき結果(けっか)	軒数(けんすう)・一軒(いっけん) 軒下(のきした)・軒(のき)を連(つら)ねる	圏内(けんない)・首都圏(しゅとけん)・大気圏(たいきけん)	玄米(げんまい)・玄関(げんかん)

配当漢字表③読み

目標時間 15分
合格ライン 34点
得点 /48
月　日

●次の――線の**漢字の読み**を**ひらがな**で記せ。

1 水稲の新しい品種を開発する。
2 パソコンの習得に悪戦苦闘する。
3 飛行機が胴体着陸した。
4 峠の茶屋で一休みする。
5 流行の髪型に変える。
6 ようやく搬入作業が終わった。
7 私と彼とは幼なじみです。
8 子供が皮膚病にかかった。
9 この道はかなり幅が広い。
10 手を振り払って走り去った。

解答
1 すいとう
2 くとう
3 どうたい
4 とうげ
5 かみがた
6 はんにゅう
7 かれ
8 ひふ
9 はば
10 はら

11 人柄が顔に出ている。
12 境内に大きな踊りの輪ができた。
13 いつも連絡船を利用する。
14 山々の秀麗な姿にみせられる。
15 旧暦の正月を祝う。
16 いくつになっても故郷は恋しい。
17 ここに至るまでの経緯を語る。
18 深い陰影に富む文章だ。
19 縁の下にネコがいるようだ。
20 皆さんで力を合わせてください。

解答
11 ひとがら
12 おど
13 れんらくせん
14 しゅうれい
15 きゅうれき
16 こい
17 けいい
18 いんえい
19 えん
20 みな

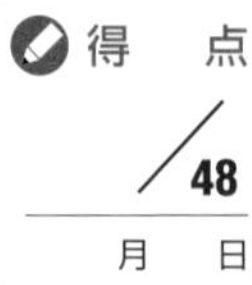

21 鬼ごっこをして遊ぶ。
22 箱に多くのものが詰まっている。
23 丘の上から集落を見渡した。
24 巨大な建造物の遺跡がある。
25 母は飛び上がらんばかりに驚いた。
26 山奥にある一軒の温泉宿を訪れる。
27 九州が台風の圏内に入った。
28 毎日、玄米を食べている。
29 実家の稲刈りを手伝った。
30 この闘いは無意味だ。
31 危機一髪の状況だった。
32 彼我の勢力に差はない。
33 完膚なきまでにやっつける。
34 彼には全幅の信頼をおいている。

21 おに
22 つ
23 おか
24 きょだい
25 おどろ
26 いっけん
27 けんない
28 げんまい
29 いね
30 たたか
31 いっぱつ
32 ひが
33 かんぷ
34 ぜんぷく

35 ほうきの柄が折れてしまった。
36 日本舞踊を習っている。
37 前後の脈絡から判断する。
38 彼女は容姿端麗と言われている。
39 暦の上ではもう秋だ。
40 悲恋の物語に涙を流した。
41 午後から日が陰ってきた。
42 縁取りをして完成した。
43 皆目見当がつかない。
44 この方角は鬼門だ。
45 縁日の夜の花火を見物する。
46 なだらかな砂丘が続く。
47 驚異的な記録が出た。
48 新しい店が軒を連ねている。

35 え
36 ぶよう
37 みゃくらく
38 たんれい
39 こよみ
40 ひれん
41 かげ
42 ふちど
43 かいもく
44 きもん
45 えんにち
46 さきゅう
47 きょういてき
48 のき

配当漢字表④

漢字	読み	部首	部首名	用例
攻	音 コウ 訓 せ(める)	攵	のぶん ぼくづくり	専攻(せんこう)・反攻(はんこう)・攻勢(こうせい)・攻防(こうぼう) 先(さき)に攻(せ)める
更	音 コウ 訓 さら ふ(ける)(高) ふ(かす)(高)	日	ひらび いわく	更新(こうしん)・更衣室(こういしつ)・更生(こうせい) 更(さら)に大(おお)きくなる
尾	音 ビ 訓 お	尸	かばね しかばね	尾行(びこう)・首尾(しゅび)・後尾(こうび) 犬(いぬ)が尾(お)を振(ふ)る・尾根(おね)
込	音 ―― 訓 こ(む) こ(める)	辶	しんにょう しんにゅう	申(もう)し込(こ)む・詰(つ)め込(こ)む・ 心(こころ)を込(こ)める
彩	音 サイ 訓 いろど(る)(高)	彡	さんづくり	水彩(すいさい)・異彩(いさい)・多彩(たさい)・色彩(しきさい)
伺	音 シ(高) 訓 うかが(う)	亻	にんべん	社長宅(しゃちょうたく)に伺(うかが)う

漢字	読み	部首	部首名	用例
紫	音 シ 訓 むらさき	糸	いと	紫煙(しえん)・紫外線(しがいせん) 紫色(むらさきいろ)
朱	音 シュ 訓 ――	木	き	朱肉(しゅにく)・朱印(しゅいん)・朱色(しゅいろ)・ 朱(しゅ)に交(まじ)われば赤(あか)くなる
秀	音 シュウ 訓 ひい(でる)(高)	禾	のぎ	秀麗(しゅうれい)・秀才(しゅうさい)・優秀(ゆうしゅう)
柔	音 ジュウ ニュウ 訓 やわ(らか) やわ(らかい)	木	き	柔順(じゅうじゅん)・優柔不断(ゆうじゅうふだん)・柔和(にゅうわ) 体(からだ)が柔(やわ)らかい
獣	音 ジュウ 訓 けもの	犬	いぬ	猛獣(もうじゅう)・野獣(やじゅう)・獣医師(じゅういし) 獣(けもの)の足跡(あしあと)
瞬	音 シュン 訓 またた(く)(高)	目	めへん	瞬時(しゅんじ)・一瞬(いっしゅん)・瞬間(しゅんかん)

「堤」と「提」、「怒」と「努」など、同音で形の似ている漢字は多い。用例をチェックしよう！

漢字	読み	部首	部首名	用例
沼	音 ショウ㊫ 訓 ぬま	氵	さんずい	沼地(ぬまち)・底なし沼(そこなしぬま)
吹	音 スイ 訓 ふ(く)	口	くちへん	吹奏楽(すいそうがく)・吹鳴(すいめい)・鼓吹(こすい) 笛(ふえ)を吹(ふ)く・吹雪(ふぶき)
是	音 ゼ 訓 ―	日	ひ	是正(ぜせい)・是非(ぜひ)・是認(ぜにん)・社是(しゃぜ)
沢	音 タク 訓 さわ	氵	さんずい	光沢(こうたく)・恩沢(おんたく)・沢山(たくさん) 沢(さわ)を登(のぼ)る
丹	音 タン 訓 ―	丶	てん	丹精(たんせい)・丹念(たんねん)・丹頂(たんちょう)づる
翼	音 ヨク 訓 つばさ	羽	はね	主翼(しゅよく)・尾翼(びよく)・翼賛(よくさん) 翼(つばさ)を広(ひろ)げる
跳	音 チョウ 訓 は(ねる) と(ぶ)	𧾷	あしへん	跳躍(ちょうやく)・跳馬(ちょうば) 水(みず)が跳(は)ねる・棒高跳(ぼうたかと)び
堤	音 テイ 訓 つつみ	土	つちへん	突堤(とってい)・防波堤(ぼうはてい)・堤防(ていぼう) 堤(つつみ)が切(き)れる
釈	音 シャク 訓 ―	釆	のごめへん	釈明(しゃくめい)・解釈(かいしゃく)・釈放(しゃくほう)

漢字	読み	部首	部首名	用例
滴	音 テキ 訓 しずく したた(る)㊫	氵	さんずい	水滴(すいてき)・点滴(てんてき)・滴下(てきか) 雨(あめ)の滴(しずく)
殿	音 デン テン 訓 との どの	殳	るまた ほこづくり	沈殿(ちんでん)・宮殿(きゅうでん)・御殿(ごてん) 殿様(とのさま)・湯殿(ゆどの)
怒	音 ド 訓 いか(る) おこ(る)	心	こころ	怒号(どごう)・怒声(どせい)・激怒(げきど) 怒(いか)りを表(あらわ)す・子供(こども)を怒(おこ)る
唐	音 トウ 訓 から	口	くち	遣唐使(けんとうし)・唐突(とうとつ) 唐草(からくさ)・唐紙(からかみ/とうし)
曇	音 ドン 訓 くも(る)	日	ひ	曇天(どんてん) 曇(くも)り空(ぞら)
杯	音 ハイ 訓 さかずき	木	きへん	祝杯(しゅくはい)・乾杯(かんぱい)・酒杯(しゅはい) 杯(さかずき)を傾(かたむ)ける
疲	音 ヒ 訓 つか(れる)	疒	やまいだれ	疲労(ひろう) 疲(つか)れ果(は)てる
浜	音 ヒン 訓 はま	氵	さんずい	海浜(かいひん) 浜辺(はまべ)・砂浜(すなはま)
敷	音 フ㊫ 訓 し(く)	攵	のぶん ぼくづくり	マットを敷(し)く・屋敷(やしき)・敷居(しきい)

配当漢字表④読み

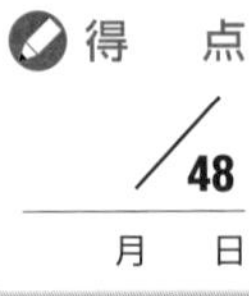

得 点
／48
月 日

● 次の――線の**漢字の読み**を**ひらがな**で記せ。

1 敵の弱点を攻める。
2 世界記録を更新した。
3 打ち合わせは首尾よく終わった。
4 心を込めて織り上げる。
5 ひときわ異彩を放つ人物だった。
6 日を改めてお伺いします。
7 紫色の和服が似合う人だった。
8 朱に交われば赤くなると言う。
9 彼は秀才として名高い。
10 いつも柔和な笑顔を見せていた。

解答
1 せ
2 こうしん
3 しゅび
4 こ
5 いさい
6 うかが
7 むらさき
8 しゅ
9 しゅうさい
10 にゅうわ

11 動物園で猛獣を見る。
12 瞬時も目が離せない試合だった。
13 この沼は浅いようだ。
14 北海道はひどい吹雪だそうだ。
15 事の是非を問う。
16 源流を目指して沢を登る。
17 母が丹精こめて育てた草花だ。
18 白鳥が翼を広げて飛び立った。
19 すばらしい跳躍を見せた。
20 大雨に備えて堤を高くした。

解答
11 もうじゅう
12 しゅんじ
13 ぬま
14 ふぶき
15 ぜひ
16 さわ
17 たんせい
18 つばさ
19 ちょうやく
20 つつみ

21 新しい解釈のしかたを考える。
22 病院で点滴注射を受ける。
23 殿からたまわった貴重な品だ。
24 なかなか怒りが収まらない。
25 唐突な質問に戸惑いを隠せない。
26 朝からずっと空が曇っている。
27 優勝の祝杯をあげた。
28 仕事で疲れることが多い。
29 家族で浜辺へ出て遊んだ。
30 マットを敷いて側転の練習をする。
31 相手のミスを機に攻勢に転じる。
32 紫外線から目を守る必要がある。
33 あの人は物腰が柔らかだ。
34 森の中で獣の足跡を見つける。

21 かいしゃく
22 てんてき
23 との
24 いか
25 とうとつ
26 くも
27 しゅくはい
28 つか
29 はまべ
30 し
31 こうせい
32 しがいせん
33 やわ
34 けもの

35 口笛を吹きながら野道を歩く。
36 床の間の柱には光沢があった。
37 物価が跳ね上がった。
38 更なる努力を求められる。
39 船着き場の突堤でつりをした。
40 葉っぱから滴が落ちた。
41 不純物を沈殿させる。
42 会場は怒号に包まれた。
43 唐草模様のふろしきを持っている。
44 曇天で空の色が鈍い。
45 杯になみなみと酒をつぐ。
46 航空機の金属疲労を調べる。
47 人工の海浜公園ができた。
48 私は吹奏楽が好きだ。

35 ふ
36 こうたく
37 は
38 さら
39 とってい
40 しずく
41 ちんでん
42 どごう
43 からくさ
44 どんてん
45 さかずき
46 ひろう
47 かいひん
48 すいそう

Cランク

配当漢字表①

漢字	読み（音）	読み（訓）	部首	部首名	用例
普	フ	―	日	ひ	普及・普通・普段
坊	ボウ ボッ	―	土	つちへん	寝坊・僧坊・宿坊・お坊ちゃん
盆	ボン	―	皿	さら	盆地・初盆・盆踊り
踏	トウ	ふ(む) ふ(まえる)	足	あしへん	踏査・踏襲・雑踏・踏切・事実を踏まえる
雷	ライ	かみなり	雨	あめかんむり	雷鳴・落雷・春雷・遠雷・雷が鳴る
隣	リン	とな(る) となり	阝	こざとへん	隣接・隣人・隣家・隣り合う・隣に座る

漢字	読み（音）	読み（訓）	部首	部首名	用例
影	エイ	かげ	彡	さんづくり	影響・陰影・投影・影絵
較	カク	―	車	くるまへん	比較・較差
凶	キョウ	―	凵	うけばこ	凶悪・凶作・元凶・凶弾
繰	―	く(る)	糸	いとへん	繰り返す・繰り入れる・手繰り寄せる
肩	ケン高	かた	肉	にく	肩関節・肩車・肩書き
剣	ケン	つるぎ	刂	りっとう	真剣・剣道・剣法・刀剣・剣の舞

「影」「項」「剤」「雌」「煮」の部首は、よく出題されるよ。チェックしておこう。

漢字	読み（音）	読み（訓）	部首	部首名	用例
荒	コウ	あら(い) あ(れる) あ(らす)	艹	くさかんむり	荒天（こうてん）・荒野（こうや）・破天荒（はてんこう） 荒波（あらなみ）・海（うみ）が荒（あ）れる
項	コウ	―	頁	おおがい	事項（じこう）・項目（こうもく）・要項（ようこう）
婚	コン	―	女	おんなへん	婚礼（こんれい）・婚約（こんやく）・結婚（けっこん）
歳	サイ セイ	―	止	とめる	歳時記（さいじき）・歳月（さいげつ）・歳暮（せいぼ／さいぼ）
剤	ザイ	―	刂	りっとう	薬剤師（やくざいし）・洗剤（せんざい）・調剤（ちょうざい）
雌	シ	め めす	隹	ふるとり	雌雄（しゆう） 雌（め）しべ・雌犬（めすいぬ）
芝	―	しば	艹	くさかんむり	芝刈（しばか）り・芝居（しばい）・芝生（しばふ）
煮	シャ高	に(る) に(える) に(やす)	灬	れんが れっか	煮物（にもの）・雑煮（ぞうに）・ 議論（ぎろん）が煮（に）つまる
御	ギョ ゴ	おん	彳	ぎょうにんべん	制御（せいぎょ）・御者（ぎょしゃ）・御用（ごよう） 御中（おんちゅう）

漢字	読み（音）	読み（訓）	部首	部首名	用例
齢	レイ	―	歯	はへん	樹齢（じゅれい）・高齢（こうれい）・年齢（ねんれい）
狩	シュ	か(る) か(り)	犭	けものへん	（狩猟（しゅりょう）） ぶどう狩（が）り・獣（けもの）を狩（か）る
紹	ショウ	―	糸	いとへん	紹介（しょうかい）・紹継（しょうけい）
畳	ジョウ	たた(む) たたみ	田	た	畳語（じょうご）・六畳間（ろくじょうま）・重畳（ちょうじょう） 畳（たたみ）を敷（し）く
姓	セイ ショウ	―	女	おんなへん	旧姓（きゅうせい）・姓名（せいめい）・同姓（どうせい）・素姓（すじょう）
贈	ゾウ ソウ	おく(る)	貝	かいへん	贈与（ぞうよ）・贈答品（ぞうとうひん）・寄贈（きぞう／きそう） 贈（おく）り物（もの）
恥	チ	は(じる) はじ は(じらう) は(ずかしい)	心	こころ	恥部（ちぶ）・厚顔無恥（こうがんむち） 恥（はじ）をかく・恥（は）ずかしく思（おも）う
塔	トウ	―	土	つちへん	金字塔（きんじとう）・斜塔（しゃとう）・鉄塔（てっとう）
振	シン	ふ(る) ふ(るう) ふ(れる)	扌	てへん	不振（ふしん）・振動（しんどう）・振興（しんこう） 羽振（はぶ）り・振（ふ）る舞（ま）う

配当漢字表①読み

目標時間 15分

合格ライン 34点

得点 ／48 月 日

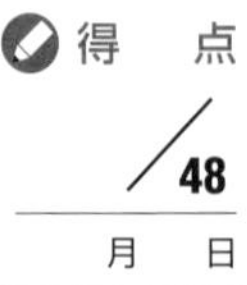

●次の――線の**漢字の読み**を**ひらがな**で記せ。

1 防犯ブザーの普及に努める。
2 今夜は寺の宿坊に泊まる。
3 盆地なので夏は暑い。
4 足を踏まないように気をつける。
5 空が光って雷が落ちた。
6 隣の部屋には今、だれもいない。
7 親子で影絵遊びを楽しむ。
8 比較的よくできたほうだ。
9 今年は日照不足で凶作だった。
10 本のページを繰る。

解答

1 ふきゅう
2 しゅくぼう
3 ぼんち
4 ふ
5 かみなり
6 となり
7 かげえ
8 ひかく
9 きょうさく
10 く

11 そっと肩を寄せ合う。
12 物事に真剣に取り組む。
13 だれかが花園を荒らした。
14 これは重要な事項だ。
15 あの二人は婚約した。
16 歳時記をいつも持ち歩く。
17 強力な洗剤でも落ちない汚れがある。
18 雌の子犬をもらって育てた。
19 広い芝生の庭がある家に住みたい。
20 煮ても焼いても食えないやつだ。

解答

11 かた
12 しんけん
13 あ
14 じこう
15 こんやく
16 さいじき
17 せんざい
18 めす
19 しばふ
20 に

21 今日は御用納めだった。
22 樹齢百年の大木を保護する。
23 父は狩りに出かけた。
24 外国に日本の文化を紹介する。
25 新しい畳は気持ちがいい。
26 同姓の有名人に親近感を持つ。
27 恩師に記念の品を贈った。
28 大勢の前で話すのは恥ずかしい。
29 輝かしい金字塔を打ち立てる。
30 暴力を振るってはいけない。
31 普通選挙制度が確立された。
32 彼はお坊ちゃん育ちだ。
33 祖父の初盆に帰省する。
34 暗い空に雷鳴がとどろいた。

21 ごよう
22 じゅれい
23 か
24 しょうかい
25 たたみ
26 どうせい
27 おく
28 は
29 きんじとう
30 ふ
31 ふつう
32 ぼっ
33 はつぼん
34 らいめい

35 隣接する国々と友好関係を結ぶ。
36 鉛筆画に陰影をつける。
37 雑踏の中で友人を見失った。
38 ひもを手繰り寄せる。
39 雌しべの先に花粉をつける。
40 「剣の舞」の曲を見事に演奏した。
41 荒天をついて舟をこぎ出した。
42 機械が制御不能となる。
43 自分の恥部をさらけ出す。
44 芝居小屋をのぞいてみる。
45 悩み事があり、食欲不振だ。
46 同じ言葉を重ねたものを畳語という。
47 学校に記念品を寄贈する。
48 金魚の雌雄を見分ける。

35 りんせつ
36 いんえい
37 ざっとう
38 たぐ
39 め
40 つるぎ
41 こうてん
42 せいぎょ
43 ちぶ
44 しばい
45 ふしん
46 じょうご
47 きぞう（きそう）
48 しゆう

C 配当漢字表①読み

C ランク

配当漢字表②

漢字	読み	部首	部首名	用例
爆	音 バク／訓 —	火	ひへん	爆発（ばくはつ）・爆弾（ばくだん）・原爆（げんばく）
罰	音 バツ、バチ／訓 —	罒	あみがしら、あみめ、よこめ	処罰（しょばつ）・罰則（ばっそく）・天罰（てんばつ）・罰（ばち）あたり
砲	音 ホウ／訓 —	石	いしへん	砲撃（ほうげき）・砲丸投（ほうがんな）げ・発砲（はっぽう）
肪	音 ボウ／訓 —	月	にくづき	脂肪（しぼう）
帽	音 ボウ／訓 —	巾	はばへん、きんべん	帽子（ぼうし）・脱帽（だつぼう）・野球帽（やきゅうぼう）
娘	音 —／訓 むすめ	女	おんなへん	一人娘（ひとりむすめ）・娘心（むすめごころ）・娘時代（むすめじだい）

漢字	読み	部首	部首名	用例
腰	音 ヨウ㊤／訓 こし	月	にくづき	腰（こし）を入（い）れる・本腰（ほんごし）・物腰（ものごし）
欄	音 ラン／訓 —	木	きへん	欄干（らんかん）・欄外（らんがい）・空欄（くうらん）
壱	音 イチ／訓 —	士	さむらい	壱万円（いちまんえん）
押	音 オウ㊤／訓 お（す）、お（さえる）	扌	てへん	後（うし）ろから押（お）す・押（お）し花（ばな）・ドアを押（お）さえる
菓	音 カ／訓 —	艹	くさかんむり	菓子（かし）・製菓会社（せいかがいしゃ）・洋菓子（ようがし）
環	音 カン／訓 —	王	おうへん、たまへん	環境（かんきょう）・環状線（かんじょうせん）・一環（いっかん）

「鑑」は「監」と間違えやすいので、用例をチェックしておこう！

C 配当漢字表②

漢字	読み（音）	読み（訓）	部首	部首名	用例
鑑	カン	かんが(みる)高	金	かねへん	鑑定(かんてい)・図鑑(ずかん)・鑑賞(かんしょう)
狂	キョウ	くる(う) くる(おしい)	犭	けものへん	狂喜(きょうき)・狂言(きょうげん)・狂乱(きょうらん) 死(し)に物狂(ものぐる)い
抗	コウ	—	扌	てへん	抗争(こうそう)・対抗(たいこう)・反抗(はんこう)・抵抗(ていこう)
咲	—	さ(く)	口	くちへん	咲(さ)き乱(みだ)れる・五分咲(ごぶざ)き・遅咲(おそざ)き
舟	シュウ	ふね ふな	舟	ふね	舟運(しゅううん)・舟行(しゅうこう)・漁舟(ぎょしゅう) 小舟(こぶね)・舟(ふね)をこぎ出(だ)す・舟歌(ふなうた)
薪	シン	たきぎ	艹	くさかんむり	薪炭(しんたん) 薪(たきぎ)を拾(ひろ)う
陣	ジン	—	阝	こざとへん	円陣(えんじん)・陣頭(じんとう)・陣地(じんち)
扇	セン	おうぎ	戸	とだれ とかんむり	扇風機(せんぷうき)・扇動(せんどう)・扇子(せんす) 扇(おうぎ)を開(ひら)く
僧	ソウ	—	亻	にんべん	僧衣(そうい)・高僧(こうそう)・僧門(そうもん)

漢字	読み（音）	読み（訓）	部首	部首名	用例
俗	ゾク	—	亻	にんべん	民俗(みんぞく)・俗人(ぞくじん)・俗説(ぞくせつ)・風俗(ふうぞく)
奴	ド	—	女	おんなへん	守銭奴(しゅせんど)・奴隷(どれい)・農奴(のうど)
桃	トウ	もも	木	きへん	白桃(はくとう)・桃源郷(とうげんきょう) 桃(もも)の花(はな)
弐	ニ	—	弋	しきがまえ	弐万円(にまんえん)・弐千円(にせんえん)
般	ハン	—	舟	ふねへん	全般(ぜんぱん)・一般(いっぱん)・諸般(しょはん)
賦	フ	—	貝	かいへん	賦与(ふよ)・天賦(てんぷ)・賦課(ふか)
隷	レイ	—	隶	れいづくり	隷属(れいぞく)・隷従(れいじゅう)・隷書(れいしょ)
郎	ロウ	—	阝	おおざと	新郎(しんろう)・郎党(ろうとう)

配当漢字表②読み

目標時間 15分

合格ライン 34点

得点 ／48
月　日

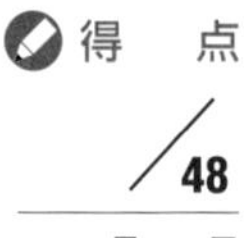

● 次の――線の**漢字の読み**を**ひらがな**で記せ。

1 火薬庫が爆発する。
2 規則に反した者は処罰します。
3 砲丸投げの競技に出る。
4 脂肪分の多い食事に注意する。
5 君のねばり強さには脱帽だ。
6 娘は言うことが母にそっくりだ。
7 受験勉強に本腰を入れる。
8 橋の欄干にもたれる。
9 お札には壱万円と書かれている。
10 彼は押しが強い男だ。

解答
1 ばくはつ
2 しょばつ
3 ほうがん
4 しぼう
5 だつぼう
6 むすめ
7 ほんごし
8 らんかん
9 いちまん
10 お

11 お礼に菓子折りを届ける。
12 環境問題を継続して考える。
13 宝石を鑑定してもらう。
14 手元が狂って矢が外れた。
15 体をきたえて抵抗力をつける。
16 草花が咲き乱れる草原に出た。
17 ここは舟運の便がいい。
18 農業と薪炭業を兼業している。
19 陣地を構築する。
20 いつも扇を持ち歩いている。

解答
11 かし
12 かんきょう
13 かんてい
14 くる
15 ていこう
16 さ
17 しゅううん
18 しんたん
19 じんち
20 おうぎ

21 そまつな僧衣を身にまとう。
22 日本古来の風俗について研究する。
23 彼は守銭奴だと言われている。
24 私は桃が好きです。
25 村の祭礼に弐万円を寄付する。
26 諸般の事情によって中止となった。
27 神から賦与された才能がある。
28 他国に隷属させられる。
29 毎年正月には一族郎党が集まる。
30 そんなことをしては罰が当たる。
31 用紙の空欄に記入する。
32 奴隷解放を求めて戦った。
33 小舟を操って海草をとる。
34 入試に受かり狂喜乱舞した。

21 そうい
22 ふうぞく
23 しゅせんど
24 もも
25 にまん
26 しょはん
27 ふよ
28 れいぞく
29 ろうとう（ろうどう）
30 ばち
31 くうらん
32 どれい
33 こぶね
34 きょうき

35 老人は薪を集めに山に入った。
36 重い物を運んで腰を痛めた。
37 時限爆弾が仕かけられた。
38 母は白い帽子をかぶっている。
39 地域活動の一環として祭りを行う。
40 美術館で名画を鑑賞する。
41 親に対し反抗的な態度をとる。
42 試合の前に円陣を組む。
43 居間の扇風機をつける。
44 俗説に惑わされないようにする。
45 白桃がおいしい季節になった。
46 ごく一般的な意見ばかりだった。
47 天賦の才能を大いに発揮する。
48 新郎は隣の町の出身だ。

35 たきぎ
36 こし
37 ばくだん
38 ぼうし
39 いっかん
40 かんしょう
41 はんこう
42 えんじん
43 せんぷうき
44 ぞくせつ
45 はくとう
46 いっぱん
47 てんぷ
48 しんろう

配当漢字以外の読み

目標時間 **15**分

合格ライン **34**点

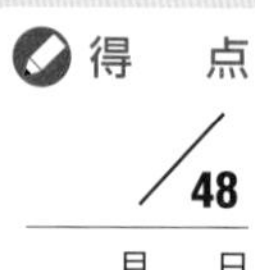

● 次の――線の**漢字の読み**を**ひらがな**で記せ。

1 自らの軽率な振る舞いを恥じた。
2 チョウの羽化を観察する。
3 度重なる暴言は批判を浴びた。
4 天候不順で野菜の入荷量が少ない。
5 このいたずらはだれの仕業だ。
6 夕飯の支度にとりかかる。
7 会議に出席できないことを謝る。
8 試験に合格して有頂天になった。
9 小さな舟で大海原に乗り出す。
10 友人を会長候補に推した。

解答

1 けいそつ
2 うか
3 たびかさ
4 にゅうか
5 しわざ
6 したく
7 あやま
8 うちょうてん
9 うなばら
10 お

11 時には自分のしたことを省みる。
12 この川は一級河川だ。
13 彼の新たな門出を祝う。
14 机上の空論を振り回すな。
15 寺の境内には桜の大木があった。
16 製造工程に工夫をこらす。
17 その件は極秘事項とされた。
18 近年はＩＴ産業が盛んである。
19 念願の赤ちゃんを授かった。
20 毎日、耳鼻科へ通う。

解答

11 かえり
12 かせん
13 かどで
14 きじょう
15 けいだい
16 くふう
17 ごくひ
18 さか
19 さず
20 じびか

21 砂浜を素足で歩く。
22 優れた演奏技術の持ち主だ。
23 木陰のベンチに座る。
24 頼まれたら断れない性分だ。
25 法に背く行為は罰せられる。
26 正社員として仕事に就く。
27 景気は数年来低迷したままだ。
28 彼の毒舌家ぶりは有名だ。
29 門を閉ざしたままの家がある。
30 老いた母の要介護認定を受ける。
31 労働条件の改善を図る。
32 今日は小春日和だ。
33 子供たちはおもちゃを欲しがった。
34 念願のメダルをとって本望です。

21 すあし
22 すぐ
23 すわ
24 しょうぶん
25 そむ
26 つ
27 ていめい
28 どくぜつか
29 と
30 にんてい
31 はか
32 びより
33 ほ
34 ほんもう

35 何事に対しても誠を尽くすことだ。
36 親方に勝るとも劣らない腕前だ。
37 息子の夢は宇宙旅行をすることだ。
38 木綿のハンカチを使う。
39 最寄りの駅へ急いだ。
40 小豆を煮ておしるこを作る。
41 時雨がやんで、さっと日が差した。
42 その土地の伝統品をお土産に買う。
43 当時は全盛を極めていた。
44 ガラスの破片で足を切った。
45 公の席での発言には気をつける。
46 痛くもない腹を探られる。
47 式は厳かに執り行われた。
48 器の大きい人だった。

35 まこと
36 まさ
37 むすこ
38 もめん
39 もよ
40 あずき
41 しぐれ
42 みやげ
43 ぜんせい
44 はへん
45 おおやけ
46 さぐ
47 おごそ
48 うつわ

Memo

ここまでで４級配当漢字のすべてを学習しましたが、難しい漢字はありましたか？自分が苦手な漢字をピックアップして、何度も書く練習をしてみましょう。

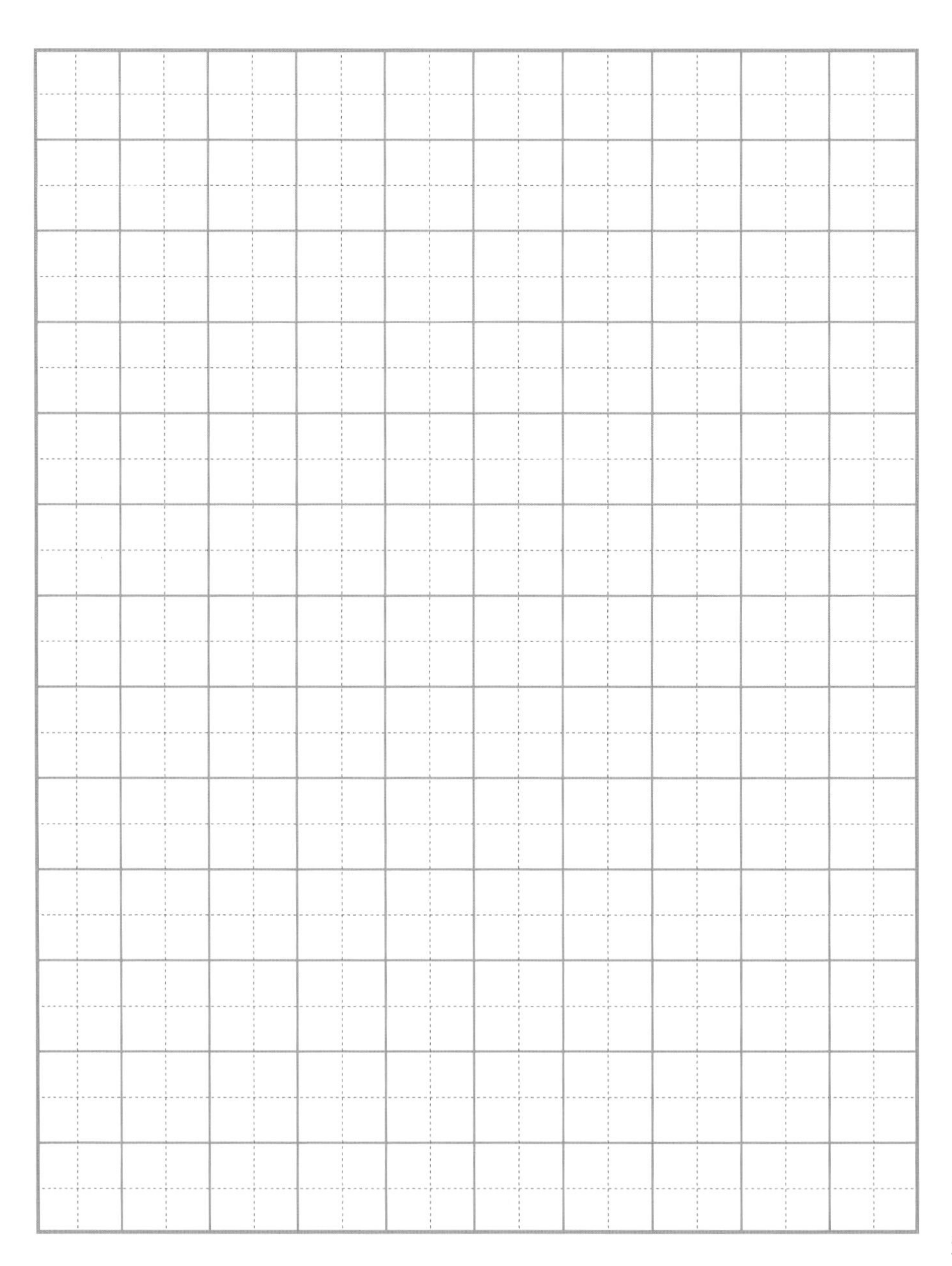

第2章

テーマ別 本試験型問題

学習のワンポイントアドバイス

苦手な人が多い「四字熟語」。P178～179も参考にしながら勉強してね。

同音・同訓異字①

目標時間 15分
合格ライン 30点
得点 ／42
月 日

● 次の――線の**カタカナ**にあてはまる漢字をそれぞれの**ア〜オ**から**一つ**選び、**記号**で記せ。

1 資源を外国に**イ**存している。
2 教育者として**イ**大な人だった。
3 賞賛に値する行**イ**だ。
（ア為　イ偉　ウ違　エ依　オ威）

4 科学雑誌に記事を寄**コウ**した。
5 大学では考古学を専**コウ**した。
6 独裁政権に抵**コウ**する。
（ア抗　イ攻　ウ稿　エ恒　オ更）

7 特別国会が**ショウ**集された。
8 起**ショウ**時間は朝六時だ。
9 **ショウ**細はのちほど知らせる。
（ア床　イ性　ウ照　エ詳　オ召）

解答
1 エ
2 イ
3 ア
4 ウ
5 イ
6 ア
7 オ
8 ア
9 エ

10 **トウ**置法を使って詩を作る。
11 現実から**トウ**避してはいけない。
12 壁の向こうを**トウ**視する。
（ア透　イ到　ウ倒　エ逃　オ唐）

13 合格を祝って**カン**杯した。
14 大臣に辞職を**カン**告する。
15 観客席から**カン**声がわき上がった。
（ア歓　イ鑑　ウ勧　エ甘　オ乾）

16 熱**キョウ**的なファンがつめかけた。
17 恩師の気遣いに**キョウ**縮する。
18 ジェットコースターで絶**キョウ**した。
（ア恐　イ叫　ウ況　エ狂　オ響）

解答
10 ウ
11 エ
12 ア
13 オ
14 ウ
15 ア
16 エ
17 ア
18 イ

19 基本的人権の**シン**害は許されない。
20 母は**シン**食を忘れて働いた。
21 大雨で床上**シン**水となった。
（ア 寝　イ 振　ウ 侵　エ 浸　オ 震）

22 深い霧で道が**ハン**然としない。
23 美術館に作品を**ハン**入する。
24 市**ハン**の消毒薬を使った。
（ア 繁　イ 版　ウ 判　エ 販　オ 搬）

25 損**カイ**した建物を修復する。
26 **カイ**適な生活を送る。
27 **カイ**護サービスを受ける。
（ア 戒　イ 壊　ウ 介　エ 改　オ 快）

28 何事にも真**ケン**に取り組む。
29 朝昼**ケン**用の食事を済ませた。
30 危**ケン**な箇所に印をつける。
（ア 検　イ 険　ウ 剣　エ 兼　オ 圏）

19 ウ　20 ア　21 エ　22 ウ　23 オ　24 エ　25 イ　26 オ　27 ウ　28 ウ　29 エ　30 イ

31 彼は政治風**シ**の漫画で有名だ。
32 馬上の雄**シ**に見とれる。
33 設立の趣**シ**を説明する。
（ア 旨　イ 師　ウ 刺　エ 姿　オ 雌）

34 論理の矛盾について問い**ツ**めた。
35 郷里の昔話を語り**ツ**いでいく。
36 花を**ツ**んで髪にさした。
（ア 摘　イ 詰　ウ 就　エ 継　オ 積）

37 祝賀式典が盛大に**ト**り行われた。
38 親を**ト**きふせて海外留学した。
39 先生の言葉を心に**ト**めた。
（ア 留　イ 執　ウ 説　エ 溶　オ 捕）

40 議論の主題に**フ**れる。
41 手を**フ**りほどいてかけ出した。
42 反対意見を**フ**まえて発言する。
（ア 降　イ 触　ウ 振　エ 殖　オ 踏）

31 ウ　32 エ　33 ア　34 イ　35 エ　36 ア　37 イ　38 ウ　39 ア　40 イ　41 ウ　42 オ

同音・同訓異字②

目標時間 15分
合格ライン 30点
得点 ／42
月 日

● 次の――線のカタカナにあてはまる漢字をそれぞれのア～オから一つ選び、記号で記せ。

1 昨年の営業成績をイ持する。
2 今回の事態に至る経イを説明する。
3 両者の主張の相イ点を明らかにする。
（ア 異　イ 違　ウ 偉　エ 維　オ 緯）

4 コウ例の花火大会が開かれた。
5 会議の日程が変コウされた。
6 資格試験の要コウを発表する。
（ア 恒　イ 攻　ウ 功　エ 更　オ 項）

7 敬ショウをつけて名前を呼ぶ。
8 すぐにあきてしまうショウ分だ。
9 一人前を目指してショウ進する。
（ア 昭　イ 称　ウ 精　エ 性　オ 紹）

解答
1 エ　2 オ　3 イ　4 ア　5 エ　6 オ　7 イ　8 エ　9 ウ

10 トウ突な申し出に戸惑った。
11 入り口にファンが殺トウした。
12 駅前の雑トウにまぎれ込む。
（ア 踏　イ 統　ウ 逃　エ 唐　オ 到）

13 どんな批判をもカン受する。
14 カン視カメラを作動させる。
15 申込書には印カンが必要だ。
（ア 汗　イ 甘　ウ 監　エ 鑑　オ 簡）

16 音キョウのよい会場で演奏する。
17 見事な職人技術にキョウ嘆した。
18 映画館は満員の盛キョウだった。
（ア 驚　イ 響　ウ 叫　エ 狂　オ 況）

解答
10 エ　11 オ　12 ア　13 イ　14 ウ　15 エ　16 イ　17 ア　18 オ

19 シン重な姿勢で話し合いに臨んだ。
20 経営改革の指シンを示した。
21 営業成績は不シンに終わった。
（ア 振　イ 震　ウ 真　エ 慎　オ 針）

22 かつてハン栄していた文明の跡だ。
23 諸ハンの事情により大会を中止した。
24 試験の出題ハン囲を教えてもらう。
（ア 繁　イ 範　ウ 般　エ 搬　オ 販）

25 厳カイ態勢で警備にあたる。
26 道路のカイ修工事が行われている。
27 優勝の行方はカイ目見当がつかない。
（ア 改　イ 皆　ウ 介　エ 戒　オ 壊）

28 台風の暴風ケン内に入った。
29 彼はおだやかでケン実な人柄だ。
30 戦場に特派員を派ケンする。
（ア 堅　イ 権　ウ 遣　エ 圏　オ 検）

19 エ　20 オ　21 ア
22 ア　23 ウ　24 イ
25 エ　26 ア　27 イ
28 エ　29 ア　30 ウ

31 シ外線をカットする眼鏡をかける。
32 シ質を減らす食事をする。
33 この岩壁を登るのはシ難の業だ。
（ア 旨　イ 紫　ウ 至　エ 雌　オ 脂）

34 念願の仕事にツくことができた。
35 発表会に向けて最善をツくす。
36 対戦相手に弱点をツかれた。
（ア 積　イ 突　ウ 就　エ 摘　オ 尽）

37 まちがえないよう何度も念をオした。
38 相手の気持ちをオし量る。
39 事故の責任をオう。
（ア 推　イ 負　ウ 押　エ 折　オ 帯）

40 家事を早くスませて出かける。
41 鳥のさえずりに耳をスませた。
42 スき通るような歌声がひびく。
（ア 澄　イ 透　ウ 住　エ 済　オ 刷）

31 イ　32 オ　33 ウ
34 ウ　35 オ　36 イ
37 ウ　38 ア　39 イ
40 エ　41 ア　42 イ

同音・同訓異字①

目標時間 15分

合格ライン 30点

得点 ／42

月 日

● 次の――線のカタカナにあてはまる漢字をそれぞれのア〜オから一つ選び、記号で記せ。

1 エコカーのフ及率が上がっている。
2 政治のフ敗を嘆くだけではだめだ。
3 看過されていた案が急フ上した。
（ア浮 イ負 ウ賦 エ腐 オ普）

4 弾圧を逃れてボウ命した。
5 ボウ観者の立場は無責任だ。
6 仕事にボウ殺されて過労気味だ。
（ア忙 イ亡 ウ冒 エ傍 オ貿）

7 キ上の空論を振り回すだけだ。
8 キ抜な発想で世間を驚かせた。
9 本番で実力を発キする。
（ア奇 イ揮 ウ期 エ規 オ机）

解答
1 オ
2 エ
3 ア
4 イ
5 エ
6 ア
7 オ
8 ア
9 イ

10 景気は下降ケイ向にある。
11 典ケイ的な兼業農家だ。
12 車の電気ケイ統が故障した。
（ア型 イ系 ウ継 エ傾 オ敬）

13 彼は色サイのセンスがよい。
14 何とかサイ算の合う商売にしたい。
15 長いサイ月の間に家は朽ち果てた。
（ア採 イ彩 ウ裁 エ済 オ歳）

16 母はタン精込めて手料理を作る。
17 美しい風景に感タンの声をもらした。
18 冷タンな態度に腹を立てる。
（ア丹 イ担 ウ端 エ淡 オ嘆）

解答
10 エ
11 ア
12 イ
13 イ
14 ア
15 オ
16 ア
17 オ
18 エ

19 少数精エイで仕事にあたる。
20 天候が作物の出来にエイ響する。
21 ついにエイ光の座についた。
（ア 栄　イ 映　ウ 影　エ 鋭　オ 英）

22 現地に救エン部隊が派遣される。
23 母はよくエン起をかつぐ。
24 化学工場のエン突が見える。
（ア 縁　イ 沿　ウ 鉛　エ 援　オ 煙）

25 砂キュウの向こうは青い海だ。
26 不キュウの名作と言われる映画だ。
27 不正資金の流れを追キュウする。
（ア 久　イ 及　ウ 求　エ 丘　オ 朽）

28 犯人を特定する証コを見つける。
29 舞台に立つと胸のコ動が速まった。
30 得意気に自分の力をコ示する。
（ア 古　イ 枯　ウ 拠　エ 誇　オ 鼓）

19 エ　20 ウ　21 ア　22 エ　23 ア　24 オ　25 エ　26 オ　27 イ　28 ウ　29 オ　30 エ

31 来月の下ジュンに帰国する予定だ。
32 パトカーが街中をジュン回する。
33 犬は飼い主に従ジュンだ。
（ア 純　イ 盾　ウ 巡　エ 旬　オ 順）

34 生活に困って犯罪に手をソめる。
35 板がソってしまった。
36 手すりに軽く手をソえた。
（ア 添　イ 沿　ウ 反　エ 染　オ 初）

37 ピストルを空に向けてウった。
38 友人から相談をウけた。
39 父はウかない顔をしていた。
（ア 受　イ 浮　ウ 植　エ 得　オ 撃）

40 たわわに実った稲をカり取る。
41 大草原を馬がカける。
42 玄関でサンダルにはきカえた。
（ア 刈　イ 狩　ウ 借　エ 替　オ 駆）

31 エ　32 ウ　33 オ　34 エ　35 ウ　36 ア　37 オ　38 ア　39 イ　40 ア　41 オ　42 エ

同音・同訓異字②

目標時間 15分
合格ライン 30点
得点 /42
月　日

● 次の――線のカタカナにあてはまる漢字をそれぞれのア～オから一つ選び、記号で記せ。

1 皮**フ**が乾燥してかゆい。
2 自分の手ぎわのよさを自**フ**している。
3 天から**フ**与された才能を生かす。
（ア 賦　イ 普　ウ 腐　エ 負　オ 膚）

4 見事な仕上がりに脱**ボウ**した。
5 会議の**ボウ**頭にあいさつをする。
6 中性脂**ボウ**を減らすように言われた。
（ア 肪　イ 防　ウ 冒　エ 貿　オ 帽）

7 必勝を**キ**して試合に臨んだ。
8 合格**キ**願のおまいりに行く。
9 母校の光**キ**ある伝統を誇る。
（ア 揮　イ 輝　ウ 期　エ 幾　オ 祈）

解答
1 オ　2 エ　3 ア　4 オ　5 ウ　6 ア　7 ウ　8 オ　9 イ

10 平等互**ケイ**の関係にある。
11 口うるさい上司を**ケイ**遠する。
12 伝統工芸の後**ケイ**者を育てる。
（ア 敬　イ 傾　ウ 経　エ 恵　オ 継）

13 失業者を救**サイ**する。
14 社長の**サイ**決を仰ぐことにした。
15 土砂を満**サイ**したトラックが走る。
（ア 済　イ 災　ウ 裁　エ 載　オ 彩）

16 秀**レイ**な山容が目をひいた。
17 祖父は**レイ**節を重んじる人だ。
18 **レイ**属的な関係を脱する。
（ア 隷　イ 例　ウ 齢　エ 麗　オ 礼）

解答
10 エ　11 ア　12 オ　13 ア　14 ウ　15 エ　16 エ　17 オ　18 ア

19 コンクリートの**テイ**防が続く。
20 風の**テイ**抗を少しでも減らす。
21 強固な師**テイ**関係で結ばれていた。
(ア抵 イ弟 ウ程 エ堤 オ低)

19 エ
20 ア
21 イ

22 けがをした人の介**ホウ**をする。
23 **ホウ**丸投げで新記録が出た。
24 世界最高**ホウ**の音楽をきいた。
(ア砲 イ抱 ウ包 エ報 オ峰)

22 イ
23 ア
24 オ

25 結婚しても旧**セイ**を使っている。
26 遠**セイ**試合は新人育成の場だ。
27 立ち見が出るほどの**セイ**況だった。
(ア勢 イ性 ウ姓 エ盛 オ征)

25 ウ
26 オ
27 エ

28 学生たちが広場を**セン**拠した。
29 河口に**セン**状地が広がる。
30 新**セン**で独創的なアイディアだ。
(ア占 イ扇 ウ専 エ鮮 オ宣)

28 ア
29 イ
30 エ

31 社会の**チ**部をあばく映画を作る。
32 一**チ**協力して仕事を進める。
33 約束の時間に**チ**刻してしまった。
(ア致 イ遅 ウ置 エ恥 オ値)

31 エ
32 ア
33 イ

34 **カタ**苦しい本を読むのは苦手だ。
35 予選で敗退して**カタ**身が狭い。
36 あの時のことは**カタ**時も忘れない。
(ア堅 イ形 ウ片 エ肩 オ型)

34 ア
35 エ
36 ウ

37 柱が**ク**ちて屋根がくずれ落ちた。
38 ページを**ク**る手を休めた。
39 夏休みの間ずっと遊び**ク**らした。
(ア繰 イ組 ウ暮 エ来 オ朽)

37 オ
38 ア
39 ウ

40 国境の山を**コ**える。
41 荷台に商品を積み**コ**んだ。
42 母の料理は味つけが**コ**い。
(ア肥 イ込 ウ濃 エ越 オ恋)

40 エ
41 イ
42 ウ

同音・同訓異字

目標時間 15分

合格ライン 30点

得点 ／42

月 日

● 次の――線のカタカナにあてはまる漢字をそれぞれのア～オから一つ選び、記号で記せ。

1 苦しい胸の内をト露する。
2 今は働き方が変わる過ト期にある。
3 留学生活を終えて帰国のトにつく。
(ア途 イ徒 ウ吐 エ渡 オ図)

4 ギターの名手として名声をハクした。
5 災害が貧困にハク車をかけた。
6 老優のハク真の演技に息をのんだ。
(ア拍 イ泊 ウ迫 エ博 オ薄)

7 ヒ岸に墓参りをする。
8 ヒ災地に救援隊が入る。
9 上司が責任を回ヒしてはいけない。
(ア被 イ彼 ウ避 エ批 オ悲)

解答
1 ウ 2 エ 3 ア 4 エ 5 ア 6 ウ 7 イ 8 ア 9 ウ

10 塩化ナトリウムの水ヨウ液を作る。
11 美しい童ヨウを歌い継いでいく。
12 その地に伝わる民族舞ヨウを見る。
(ア洋 イ溶 ウ謡 エ容 オ踊)

13 余カを利用して語学の勉強をする。
14 質問をカ条書きにする。
15 カ子を作る職人になる。
(ア菓 イ課 ウ可 エ暇 オ箇)

16 自分の流ギを押し通す。
17 作家が新作のギ曲を発表した。
18 講演後に質ギ応答の時間をとる。
(ア疑 イ議 ウ義 エ儀 オ戯)

解答
10 イ 11 ウ 12 オ 13 エ 14 オ 15 ア 16 エ 17 オ 18 ア

19 祖父は一代で**キョ**万の富を築いた。
20 学校を地域活性化の**キョ**点にする。
21 上司とは**キョ**離を置いてつき合う。
(ア距　イ拠　ウ居　エ挙　オ巨)

22 **シュウ**念深く犯人を追い詰めた。
23 優**シュウ**な成績で卒業した。
24 前社長の経営方針を踏**シュウ**する。
(ア襲　イ修　ウ就　エ秀　オ執)

25 彼の行為は法に抵**ショク**する。
26 高価な装**ショク**品を身につける。
27 他国を侵略して**ショク**民地とする。
(ア植　イ触　ウ色　エ飾　オ職)

28 警察官から**ジン**問を受けた。
29 すりグループを一網打**ジン**にする。
30 一**ジン**の風が起こった。
(ア尽　イ尋　ウ臣　エ仁　オ陣)

19 オ　20 イ　21 ア　22 オ　23 エ　24 ア　25 イ　26 エ　27 ア　28 イ　29 ア　30 オ

31 彼女は才色兼**ビ**の人だ。
32 私服警官が容疑者を**ビ**行する。
33 **ビ**妙な色の変化をとらえる。
(ア微　イ美　ウ備　エ尾　オ鼻)

34 深い眠りから目が**サ**める。
35 指にバラのとげが**サ**さった。
36 記者会見での明言を**サ**ける。
(ア冷　イ避　ウ覚　エ指　オ刺)

37 勝者の名に**ハ**じない力を見せた。
38 プレッシャーを見事に**ハ**ね返した。
39 あの政治家はよく暴言を**ハ**く。
(ア恥　イ吐　ウ果　エ跳　オ張)

40 まぶしい朝日が目を**イ**る。
41 **イ**ても立ってもいられない心境だ。
42 もっと多くの人手が**イ**る。
(ア生　イ居　ウ要　エ入　オ射)

31 ウ　32 エ　33 ア　34 ウ　35 オ　36 イ　37 ア　38 エ　39 イ　40 オ　41 イ　42 ウ

Aランク

漢字識別①

目標時間 15分

合格ライン 17点

得点 ／24

月　日

●三つの□に**共通する漢字**を入れて熟語を作れ。漢字は左の□から**一つ**選び、**記号**で記せ。

1 □襲・□妙・□特

2 □礼・行□・流□

3 □助・相□・□選

4 勇□・跳□・□動

5 権□・□厳・□容

ア儀　イ踏　ウ威　エ退　オ援
カ奇　キ互　ク典　ケ躍　コ利

解答
1 カ（きしゅう　きみょう　きとく）
2 ア（ぎれい　ぎょうぎ　りゅうぎ）
3 キ（ごじょ　そうご　ごせん）
4 ケ（ゆうやく　ちょうやく　やくどう）
5 ウ（けんい　いげん　いよう）

6 相□・□法・□和感

7 □然・□頼・□存

8 □力・□章・□輪

9 □利・□敏・新□

10 □楽・典□・風□

ア談　イ依　ウ突　エ雅　オ極
カ握　キ違　ク腕　ケ水　コ鋭

解答
6 キ（そうい　いほう　いわかん）
7 イ（いぜん　いらい　いぞん（いそん））
8 ク（わんりょく　わんしょう　うでわ）
9 コ（えいり　えいびん　しんえい）
10 エ（ががく　てんが　ふうが）

11 □入・□抱・紹□

12 □定・□識・印□

13 冷□・脱□・□下

14 占□・□点・準□

15 □悪・□暴・元□

16 □限・□致・至□

17 □動・□舞・□笛

ア 拠　イ 出　ウ 鑑　エ 認　オ 善
カ 領　キ 極　ク 淡　ケ 鼓　コ 刻
サ 凶　シ 介　ス 却　セ 侵

11 シ（かいにゅう　かいほう　しょうかい）
12 ウ（かんてい　かんしき　いんかん）
13 ス（れいきゃく　だっきゃく　きゃっか）
14 ア（せんきょ　きょてん　じゅんきょ）
15 サ（きょうあく　きょうぼう　げんきょう）
16 キ（きょくげん　きょくち　しごく）
17 ケ（こどう　こぶ　こてき）

---

18 強□・□略・猛□

19 □議・抵□・□体

20 □行・固□・□念

21 □賛・自□・対□

22 感□・接□・□覚

23 余□・□源・耐□

24 □営・円□・□頭

ア 豪　イ 称　ウ 論　エ 抗　オ 尾
カ 嘆　キ 絶　ク 震　ケ 波　コ 陣
サ 経　シ 触　ス 攻　セ 執

18 ス（きょうこう　こうりゃく　もうこう）
19 エ（こうぎ　ていこう　こうたい）
20 セ（しっこう　こしつ（こしゅう）　しゅうねん）
21 イ（しょうさん　じしょう　たいしょう）
22 シ（かんしょく　せっしょく　しょっかく）
23 ク（よしん　しんげん　たいしん）
24 コ（じんえい　えんじん　じんとう）

漢字識別②

● 三つの□に**共通する漢字**を入れて熟語を作れ。漢字は左の□から**一つ**選び、**記号**で記せ。

1 □形・□子・□状地

2 物□・狂□・□乱

3 □興・□座・□決

4 通□・世□・□説

5 □願・□息・驚□

ア 俗　イ 図　ウ 騒　エ 議　オ 嘆
カ 振　キ 称　ク 扇　ケ 即　コ 祈

解答

1 **ク**（おうぎがた せんす せんじょうち）
2 **ウ**（ぶっそう きょうそう そうらん）
3 **ケ**（そっきょう そくざ そっけつ）
4 **ア**（つうぞく せぞく ぞくせつ）
5 **オ**（たんがん たんそく きょうたん）

---

6 □正・異□・□極

7 □発・□出・指□

8 □破・□切・舞□

9 □撃・□進・唐□

10 □縮・□霧・□淡

ア 触　イ 突　ウ 適　エ 摘　オ 爆
カ 濃　キ 砲　ク 圧　ケ 端　コ 踏

解答

6 **ケ**（たんせい いたん きょくたん）
7 **エ**（てきはつ てきしゅつ してき）
8 **コ**（とうは ふみきり ぶとう）
9 **イ**（とつげき とっしん とうとつ）
10 **カ**（のうしゅく のうむ のうたん）

11 回□・退□・□雷針

12 首□・□翼・□根

13 □風・□動・□生物

14 過□・□腕・□速

15 □薬・□案・神□

16 指□・家□・□章

17 吐□・結□・□骨

ア 露　イ 都　ウ 敏　エ 粉　オ 尾
カ 順　キ 度　ク 摘　ケ 紋　コ 文
サ 避　シ 微　ス 息　セ 妙

11 サ（かいひ たいひ ひらいしん）
12 オ（しゅび びよく おね）
13 シ（びふう びどう びせいぶつ）
14 ウ（かびん びんわん びんそく）
15 セ（みょうやく みょうあん しんみょう）
16 ケ（しもん かもん もんしょう）
17 ア（とろ けつろ ろこつ）

---

18 熱□・鮮□・猛□

19 無□・作□・□替

20 □気・□影・光□

21 □絵・投□・印□

22 優□・□境・□権

23 応□・□護・声□

24 □談・地□・□故

ア 先　イ 縁　ウ 狂　エ 影　オ 陽
カ 為　キ 恥　ク 油　ケ 援　コ 雑
サ 用　シ 越　ス 烈　セ 陰

18 ス（ねつれつ せんれつ もうれつ）
19 カ（むい さくい かわせ）
20 セ（いんき いんえい こういん）
21 エ（かげえ とうえい いんえい）
22 シ（ゆうえつ えっきょう えっけん）
23 ケ（おうえん えんご せいえん）
24 イ（えんだん ちえん えんこ）

B ランク

漢字識別①

目標時間 **15**分

合格ライン **17**点

得点 ／24

月　日

●三つの□に**共通する漢字**を入れて熟語を作れ。漢字は左の□から**一つ**選び、**記号**で記せ。

1 □名・□職・□濁

2 記□・追□・□測

3 □無・□目・□勤

4 □言・□受・□口

5 □談・□呼・□喜

ア皆　イ載　ウ甘　エ有　オ憶
カ姓　キ歓　ク失　ケ論　コ汚

解答

1 **コ**（おめい　おしょく　おだく）
2 **オ**（きおく　ついおく　おくそく）
3 **ア**（かいむ　かいもく　かいきん）
4 **ウ**（かんげん　かんじゅ　あまくち）
5 **キ**（かんだん　かんこ　かんき）

---

6 □査・総□・□禁

7 健□・失□・□光

8 追□・□第・普□

9 □頭・□大・□額

10 防□・制□・□者

ア監　イ及　ウ巡　エ巨　オ闘
カ脚　キ求　ク御　ケ冒　コ水

解答

6 **ア**（かんさ　そうかん　かんきん）
7 **カ**（けんきゃく　しっきゃく　きゃっこう）
8 **イ**（ついきゅう　きゅうだい　ふきゅう）
9 **エ**（きょとう　きょだい　きょがく）
10 **ク**（ぼうぎょ　せいぎょ　ぎょしゃ）

11 □折・□強・理□
12 □走・離□・□却
13 送□・□合・□春
14 攻□・□退・射□
15 □動・感□・□怒
16 □持・中□・□固
17 □秘・□認・沈□

ア 堅　イ 回　ウ 黙　エ 信　オ 撃
カ 防　キ 脱　ク 鼓　ケ 維　コ 逃
サ 迎　シ 極　ス 激　セ 屈

11 セ（くっせつ　くっきょう　りくつ）
12 キ（だっそう　りだつ　だっきゃく）
13 サ（そうげい　げいごう　げいしゅん）
14 オ（こうげき　げきたい　しゃげき）
15 ス（げきどう　かんげき　げきど）
16 ア（けんじ　ちゅうけん　けんご）
17 ウ（もくひ　もくにん　ちんもく）

18 □星・当□・困□
19 変□・□新・□衣室
20 □勢・富□・□快
21 □礼・結□・□約
22 水□・□色・精□
23 □劇・悲□・陰□
24 中□・□続・後□

ア 恒　イ 惨　ウ 滴　エ 継　オ 攻
カ 婚　キ 黙　ク 更　ケ 途　コ 喜
サ 彩　シ 惑　ス 豪　セ 身

18 シ（わくせい　とうわく　こんわく）
19 ク（へんこう　こうしん　こういしつ）
20 ス（ごうせい　ふごう　ごうかい）
21 カ（こんれい　けっこん　こんやく）
22 サ（すいさい　さいしょく　せいさい）
23 イ（さんげき　ひさん　いんさん）
24 エ（ちゅうけい　けいぞく　こうけい）

B ランク

漢字識別②

● 三つの□に**共通する漢字**を入れて熟語を作れ。**漢字**は左の□から**一つ**選び、**記号**で記せ。

1 □陽・傾□・□面

2 解□・□然・□明

3 □味・興□・□向

4 □撃・逆□・□名

5 神□・□様・沈□

ア 禁	イ 斜	ウ 趣	エ 珍	オ 襲
カ 妙	キ 釈	ク 陰	ケ 殿	コ 突

解答

1 イ（しゃよう けいしゃ しゃめん）
2 キ（かいしゃく しゃくぜん しゃくめい）
3 ウ（しゅみ きょうしゅ しゅこう）
4 オ（しゅうげき ぎゃくしゅう しゅうめい）
5 ケ（しんでん とのさま ちんでん）

6 □麗・□作・優□

7 規□・□囲・広□

8 □間・□時・□発力

9 一□・□回・□礼

10 □細・不□・□報

ア 模	イ 仲	ウ 秀	エ 瞬	オ 同
カ 巡	キ 端	ク 範	ケ 微	コ 詳

解答

6 ウ（しゅうれい しゅうさく ゆうしゅう）
7 ク（きはん はんい こうはん）
8 エ（しゅんかん しゅんじ しゅんぱつりょく）
9 カ（いちじゅん じゅんかい じゅんれい）
10 コ（しょうさい ふしょう しょうほう）

B 漢字識別②

11 河□・□下・寝□

12 気□・□夫・背□

13 宝□・服□・修□

14 □入・□略・□害

15 □動・不□・□興

16 □正・□認・□非

17 □烈・勇□・□暑

ア 川　イ 鮮　ウ 是　エ 介　オ 猛
カ 迫　キ 侵　ク 厳　ケ 丈　コ 騒
サ 庫　シ 振　ス 床　セ 飾

11 ス（かしょう（かわどこ）・ゆかした・ねどこ）
12 ケ（きじょう・じょうぶ・せたけ）
13 セ（ほうしょく・ふくしょく・しゅうしょく）
14 キ（しんにゅう・しんりゃく・しんがい）
15 シ（しんどう・ふしん・しんこう）
16 ウ（ぜせい・ぜにん・ぜひ）
17 オ（もうれつ・ゆうもう・もうしょ）

18 □質・相□・整合□

19 □進・丹□・□読

20 新□・□明・□度

21 □領・独□・□有

22 □重・□味・□妙

23 路□・□線・□観

24 □答・□与・寄□

ア 気　イ 面　ウ 緑　エ 傍　オ 躍
カ 贈　キ 慎　ク 占　ケ 要　コ 精
サ 性　シ 鮮　ス 即　セ 珍

18 サ（せいしつ・あいしょう・せいごうせい）
19 コ（しょうじん・たんせい・せいどく）
20 シ（しんせん・せんめい・せんど）
21 ク（せんりょう・どくせん・せんゆう）
22 セ（ちんちょう・ちんみ・ちんみょう）
23 エ（ろぼう・ぼうせん・ぼうかん）
24 カ（ぞうとう・ぞうよ・きぞう（きそう））

熟語の構成①

目標時間 15分
合格ライン 24点
得点 ／34
月　日

● **熟語の構成**のしかたには次のようなものがある。

ア 同じような意味の漢字を重ねたもの……………**（岩石）**
イ 反対または対応の意味を表す字を重ねたもの……**（高低）**
ウ 上の字が下の字を修飾しているもの……………**（洋画）**
エ 下の字が上の字の目的語・補語になっているもの**（着席）**
オ 上の字が下の字の意味を打ち消しているもの……**（非常）**

次の熟語は右の**ア～オ**のどれにあたるか、**一つ**選び、**記号**で記せ。

1 栄枯
2 雌雄
3 首尾
4 握手
5 因果
6 陰陽
7 越境
8 獲得
9 求婚
10 不朽

解答

1 **イ**（えいこ）「栄（栄える）」↕「枯（おとろえる）」の意
2 **イ**（しゆう）「雌（めす）」↕「雄（おす）」の意
3 **イ**（しゅび）「首（はじめ）」↕「尾（終わり）」の意
4 **エ**（あくしゅ）「握る」↑「手を」と解釈
5 **イ**（いんが）「因（原因）」↕「果（結果）」の意
6 **イ**（いんよう）「陰（陰の気）」↕「陽（陽の気）」の意
7 **エ**（えっきょう）「越える」↑「境界を」と解釈
8 **ア**（かくとく）獲も得も「手に入れる」の意
9 **エ**（きゅうこん）「求める」↑「結婚を」と解釈
10 **オ**（ふきゅう）「不（ない）」↑「朽（くちること）が」と解釈

11 堅固
12 光輝
13 師弟
14 需給
15 詳細
16 賞罰
17 思慮
18 清濁
19 是非
20 送迎
21 存亡
22 耐震

23 遅速
24 到達
25 難易
26 濃淡
27 抜歯
28 繁茂
29 皮膚
30 経緯
31 不屈
32 浮沈
33 鋭敏
34 別離

11 ア （けんご） 堅も固も「かたい」の意
12 ア （こうき） 光も輝も「かがやく」の意
13 イ （してい） 「師↔弟（弟子）」の意
14 イ （じゅきゅう） 「需（需要）↔給（供給）」の意
15 ア （しょうさい） 詳も細も「くわしい」の意
16 イ （しょうばつ） 「賞（ほめる）↔罰（罰する）」の意
17 ア （しりょ） 思も慮も「考える」の意
18 イ （せいだく） 「清（すんでいる）↔濁（にごっている）」の意
19 イ （ぜひ） 「是（正しい）↔非（まちがっている）」の意
20 イ （そうげい） 「送（おくる）↔迎（むかえる）」の意
21 イ （そんぼう） 「存（存在する）↔亡（ほろびる）」の意
22 エ （たいしん） 「耐える←震動に」と解釈

23 イ （ちそく） 「遅（おそい）↔速（はやい）」の意
24 ア （とうたつ） 到も達も「とどく」の意
25 イ （なんい） 「難（むずかしい）↔易（やさしい）」の意
26 イ （のうたん） 「濃（こい）↔淡（あわい）」の意
27 エ （ばっし） 「抜く←歯を」と解釈
28 ア （はんも） 繁も茂も「しげる」の意
29 ア （ひふ） 皮も膚も「からだの表皮」の意
30 イ （けいい） 「経（たて）↔緯（よこ）」の意
31 オ （ふくつ） 「不（ない）←屈（くじけることが）」と解釈
32 イ （ふちん） 「浮（うく）↔沈（しずむ）」の意
33 ア （えいびん） 鋭も敏も「すばやい」の意
34 ア （べつり） 別も離も「わかれる」の意

熟語の構成②

目標時間 15分
合格ライン 24点
得点 /34
月 日

●**熟語の構成**のしかたには次のようなものがある。

ア 同じような意味の漢字を重ねたもの……………（**岩石**）
イ 反対または対応の意味を表す字を重ねたもの……（**高低**）
ウ 上の字が下の字を修飾しているもの……………（**洋画**）
エ 下の字が上の字の目的語・補語になっているもの（**着席**）
オ 上の字が下の字の意味を打ち消しているもの……（**非常**）

次の熟語は右の**ア〜オ**のどれにあたるか、**一つ**選び、**記号**で記せ。

1 無恥
2 優劣
3 離合
4 離脱
5 劣悪

6 不振
7 安眠
8 偉業
9 違反
10 運搬

解答

1 **オ**（むち）「無（ない）↑恥（はじること）が」と解釈
2 **イ**（ゆうれつ）「優（すぐれる）↔劣（おとる）」の意
3 **イ**（りごう）「離（はなれる）↔合（あつまる）」の意
4 **ア**（りだつ）離も脱も「はなれる」の意
5 **ア**（れつあく）劣も悪も「できがよくない」の意
6 **オ**（ふしん）「不（ない）↑振（さかんになること）が」と解釈
7 **ウ**（あんみん）「安らかに→眠る」と解釈
8 **ウ**（いぎょう）「偉（りっぱな）→業（しごと）」と解釈
9 **ア**（いはん）違も反も「そむく」の意
10 **ア**（うんぱん）運も搬も「はこぶ」の意

11 援助
12 遠征
13 歌謡
14 歓喜
15 甘言
16 歓声
17 乾杯
18 休暇
19 禁煙
20 近況
21 迎春
22 継続

---

23 激突
24 豪雨
25 功罪
26 攻守
27 不眠
28 荒野
29 執刀
30 未熟
31 執筆
32 斜面
33 就寝
34 攻防

11 **ア** （えんじょ）援も助も「たすける」の意

12 **ウ** （えんせい）「遠くへ↓征（いくさにいく）」と解釈

13 **ア** （かよう）歌も謡も「うた」の意

14 **ア** （かんき）歓も喜も「よろこぶ」の意

15 **ウ** （かんげん）「甘い↓言葉」と解釈

16 **ウ** （かんせい）「歓（よろこび）の↓声」と解釈

17 **エ** （かんぱい）「乾（ほす）↑杯を」と解釈

18 **ア** （きゅうか）休も暇も「やすみ」の意

19 **エ** （きんえん）「禁（やめる）↑煙（たばこ）を」と解釈

20 **ウ** （きんきょう）「最近の↓況（ようす）」と解釈

21 **エ** （げいしゅん）「迎える↑春を」と解釈

22 **ア** （けいぞく）継も続も「つなぐ」の意

23 **ウ** （げきとつ）「激しく↓突きあたる」と解釈

24 **ウ** （ごうう）「豪（はげしい）↓雨」と解釈

25 **イ** （こうざい）「功（てがら）↕罪（つみ）」の意

26 **イ** （こうしゅ）「攻（せめる）↕守（まもる）」の意

27 **オ** （ふみん）「不（ない）↑眠ることが」と解釈

28 **ウ** （こうや）「荒れた↓野原」と解釈

29 **エ** （しっとう）「執（手にとる）↑刀（メス）を」と解釈

30 **オ** （みじゅく）「未（まだない）↑熟練することが」と解釈

31 **エ** （しっぴつ）「執（手にとって文章を書く）↑筆を」と解釈

32 **ウ** （しゃめん）「斜（かたむいた）↓面」と解釈

33 **エ** （しゅうしん）「就（つく）↑寝（ねむり）に」と解釈

34 **イ** （こうぼう）「攻（せめる）↕防（ふせぐ）」の意

熟語の構成①

目標時間 15分

合格ライン 24点

得点 ／34 月 日

● **熟語の構成**のしかたには次のようなものがある。

ア 同じような意味の漢字を重ねたもの……**（岩石）**
イ 反対または対応の意味を表す字を重ねたもの……**（高低）**
ウ 上の字が下の字を修飾しているもの……**（洋画）**
エ 下の字が上の字の目的語・補語になっているもの**（着席）**
オ 上の字が下の字の意味を打ち消しているもの……**（非常）**

次の熟語は右の**ア～オ**のどれにあたるか、**一つ**選び、**記号**で記せ。

1 巡回
2 新鮮
3 製菓
4 積載
5 全壊
6 増殖
7 脱皮
8 断続
9 着脱
10 未詳

解答

1 **ア**（じゅんかい） 巡も回も「めぐる」の意
2 **ア**（しんせん） 新も鮮も「あたらしい」の意
3 **エ**（せいか） 「製（つくる）←菓子を」と解釈
4 **ア**（せきさい） 積も載も「のせる」の意
5 **ウ**（ぜんかい） 「全て→壊れる」と解釈
6 **ア**（ぞうしょく） 増も殖も「ふえる」の意
7 **エ**（だっぴ） 「脱ぐ←皮を」と解釈
8 **イ**（だんぞく） 「断ち切る↔続く」の意
9 **イ**（ちゃくだつ） 「着る↔脱ぐ」の意
10 **オ**（みしょう） 「未（まだない）←詳しくすることが」と解釈

11 貯蓄
12 追跡
13 鉄塔
14 店舗
15 拍手
16 発汗
17 抜群
18 筆跡
19 避難
20 不測
21 舞踊
22 噴火

---

23 平凡
24 未婚
25 不慮
26 未踏
27 妙案
28 無為
29 黙認
30 遊戯
31 離陸
32 朗報
33 腕力
34 無尽

11 ア（ちょちく）貯も蓄も「たくわえる」の意
12 エ（ついせき）「追う←跡を」と解釈
13 ウ（てっとう）「鉄の→塔」と解釈
14 ア（てんぽ）店も舗も「みせ」の意
15 エ（はくしゅ）「拍（うつ）←手を」と解釈
16 エ（はっかん）「発（出す）←汗を」と解釈
17 エ（ばつぐん）「抜け出る←群れを」と解釈
18 ウ（ひっせき）「筆で書いた→跡」と解釈
19 エ（ひなん）「避ける←災難を」と解釈
20 オ（ふそく）「不（できない）←予測することが」と解釈
21 ア（ぶよう）舞も踊も「おどる」の意
22 エ（ふんか）「噴き出す←火を」と解釈

23 ア（へいぼん）平も凡も「ふつう」の意
24 オ（みこん）「未（まだない）←結婚することが」と解釈
25 オ（ふりょ）「不（ない）←慮（考えること）が」と解釈
26 オ（みとう）「未（まだない）←踏み入れることが」と解釈
27 ウ（みょうあん）「妙（すばらしい）→案」と解釈
28 オ（むい）「無（ない）←為（すること）が」と解釈
29 ウ（もくにん）「暗黙のうちに→認める」と解釈
30 ア（ゆうぎ）遊も戯も「あそぶ」の意
31 エ（りりく）「離れる←陸を」と解釈
32 ウ（ろうほう）「朗（明るい）→報（知らせ）」と解釈
33 ウ（わんりょく）「腕の→力」と解釈
34 オ（むじん）「無（ない）←尽きることが」と解釈

熟語の構成②

目標時間 15分

合格ライン 24点

得点 ／34

月　日

● **熟語の構成**のしかたには次のようなものがある。

ア 同じような意味の漢字を重ねたもの……………**（岩石）**
イ 反対または対応の意味を表す字を重ねたもの……**（高低）**
ウ 上の字が下の字を修飾しているもの……………**（洋画）**
エ 下の字が上の字の目的語・補語になっているもの**（着席）**
オ 上の字が下の字の意味を打ち消しているもの……**（非常）**

次の熟語は右の**ア〜オ**のどれにあたるか、**一つ**選び、**記号**で記せ。

1 握力
2 違憲
3 依頼
4 鋭角
5 越冬
6 空欄
7 汚点
8 恩恵
9 不惑
10 加減

解答

1 **ウ**（あくりょく）「握る→力」と解釈
2 **エ**（いけん）「違反する←憲法に」と解釈
3 **ア**（いらい）依も頼も「たよる」の意
4 **ウ**（えいかく）「鋭い→角」と解釈
5 **エ**（えっとう）「越す←冬を」と解釈
6 **ウ**（くうらん）「空白の→欄」と解釈
7 **ウ**（おてん）「汚(不名誉な)→点」と解釈
8 **ア**（おんけい）恩も恵も「めぐみ」の意
9 **オ**（ふわく）「不(ない)←惑うことが」と解釈
10 **イ**（かげん）「加える↔減らす」の意

11 雅俗
12 乾季
13 巨体
14 奇行
15 帰途
16 救援
17 凶作
18 仰天
19 恐怖
20 乾燥
21 巨大
22 去来

---

23 汚職
24 屈指
25 激怒
26 減税
27 更衣
28 攻撃
29 恒常
30 拡幅
31 後輩
32 興亡
33 呼応
34 未納

11 イ（がぞく）「雅（みやびやか）↕俗（ありふれた）」の意
12 ウ（かんき）「乾（雨の少ない）↓季節」と解釈
13 ウ（きょたい）「巨（おおきい）↓体」と解釈
14 ウ（きこう）「奇（風変わりな）↓行動」と解釈
15 ウ（きと）「帰る↓途（みち）」と解釈
16 ア（きゅうえん）救も援も「たすける」の意
17 ウ（きょうさく）「凶（できがわるい）↓作柄」と解釈
18 エ（ぎょうてん）「仰ぐ↑天を」と解釈
19 ア（きょうふ）恐も怖も「おそれる」の意
20 ア（かんそう）乾も燥も「かわく」の意
21 ア（きょだい）巨も大も「おおきい」の意
22 イ（きょらい）「去る↕来る」の意

23 エ（おしょく）「汚（けがす）↑職を」と解釈
24 エ（くっし）「屈（折る）↑指を」と解釈
25 ウ（げきど）「激しい↓怒り」と解釈
26 エ（げんぜい）「減らす↑税を」と解釈
27 エ（こうい）「更（きがえる）↑衣服を」と解釈
28 ア（こうげき）攻も撃も「敵をせめる」の意
29 ア（こうじょう）恒も常も「つねにかわらない」の意
30 エ（かくふく）「拡（ひろげる）↑幅を」と解釈
31 ウ（こうはい）「後につづく↓輩（なかま）」と解釈
32 イ（こうぼう）「興（おこる）↕亡（ほろぶ）」の意
33 イ（こおう）「呼（よぶ）↕応（こたえる）」の意
34 オ（みのう）「未（まだない）↑納めることが」と解釈

C ランク

熟語の構成

目標時間 15分
合格ライン 24点
得点 ／34
月　日

● **熟語の構成**のしかたには次のようなものがある。

ア　同じような意味の漢字を重ねたもの……………（**岩石**）
イ　反対または対応の意味を表す字を重ねたもの……（**高低**）
ウ　上の字が下の字を修飾しているもの………………（**洋画**）
エ　下の字が上の字の目的語・補語になっているもの（**着席**）
オ　上の字が下の字の意味を打ち消しているもの……（**非常**）

次の熟語は右の**ア～オ**のどれにあたるか、**一つ**選び、**記号**で記せ。

1　失脚
2　脂肪
3　獣医
4　就職
5　熟慮
6　取捨
7　出荷
8　瞬間
9　干満
10　寝台

解答

1　**エ**（しっきゃく）「失う←脚（立場）を」と解釈
2　**ア**（しぼう）脂も肪も「あぶら」の意
3　**ウ**（じゅうい）「獣の→医者」と解釈
4　**エ**（しゅうしょく）「就く←職に」と解釈
5　**ウ**（じゅくりょ）「熟（十分に）→慮（考える）」と解釈
6　**イ**（しゅしゃ）「取（とる）↔捨（すてる）」の意
7　**エ**（しゅっか）「出す←荷物を」と解釈
8　**ウ**（しゅんかん）「瞬（またたく）→間」と解釈
9　**イ**（かんまん）「干（ひる）↔満（みちる）」の意
10　**ウ**（しんだい）「寝るための→台」と解釈

11 尽力
12 盛況
13 鮮魚
14 騒音
15 即決
16 代弁
17 脱帽
18 遅刻
19 跳躍
20 珍味
21 添加
22 登頂

23 鈍痛
24 波紋
25 比較
26 微量
27 不当
28 壁画
29 変更
30 慢心
31 未明
32 無断
33 予測
34 絶縁

11 エ（じんりょく）「尽くす↑力を」と解釈
12 ウ（せいきょう）「盛んな↓況（ようす）」と解釈
13 ウ（せんぎょ）「新鮮な↓魚」と解釈
14 ウ（そうおん）「騒がしい↓音」と解釈
15 ウ（そっけつ）「即（ただちに）↓決める」と解釈
16 ウ（だいべん）「代わりに↓弁（言う）」と解釈
17 エ（だつぼう）「脱ぐ↑帽子を」と解釈
18 エ（ちこく）「遅れる↑時刻に」と解釈
19 ア（ちょうやく）跳も躍も「とびあがる」の意
20 ウ（ちんみ）「珍しい↓味」と解釈
21 ア（てんか）添も加も「つけくわえる」の意
22 エ（とうちょう）「登る↑山の頂上に」と解釈

23 ウ（どんつう）「鈍い↓痛み」と解釈
24 ウ（はもん）「波が描く↓紋（もよう）」と解釈
25 ア（ひかく）比も較も「くらべる」の意
26 ウ（びりょう）「微（わずかな）↓量」と解釈
27 オ（ふとう）「不（ない）↑正当では」と解釈
28 ウ（へきが）「壁に描いた↓画（絵）」と解釈
29 ア（へんこう）変も更も「かわる」の意
30 ウ（まんしん）「慢（おごる）↓心」と解釈
31 オ（みめい）「未（まだない）↑明けることが」と解釈
32 オ（むだん）「無（ない）↑断ることが」と解釈
33 ウ（よそく）「予（あらかじめ）↓おし測る」と解釈
34 エ（ぜつえん）「絶つ↑縁（つながり）を」と解釈

A ランク

部首①

目標時間 **10**分

合格ライン **23**点

得　点　／32

月　日

● 次の漢字の**部首**を**ア～エ**から**一つ**選び、**記号**で記せ。

1 戯（ア 戈　イ 虍　ウ ノ　エ 弋）

2 脚（ア 月　イ 土　ウ 卩　エ 厶）

3 彩（ア 木　イ 釆　ウ 彡　エ 爫）

4 是（ア 疋　イ 人　ウ 足　エ 日）

5 扇（ア 戸　イ 羽　ウ 尸　エ 一）

6 罰（ア 刂　イ 言　ウ 口　エ 罒）

7 疲（ア 疒　イ 皮　ウ 又　エ 广）

解答

1 **ア**［ほこづくり ほこがまえ］
2 **ア**［にくづき］
3 **ウ**［さんづくり］
4 **エ**［ひ］
5 **ア**［とだれ とかんむり］
6 **エ**［あみがしら あみめ よこめ］
7 **ア**［やまいだれ］

8 翼（ア 田　イ 羽　ウ 八　エ 二）

9 威（ア 女　イ 戈　ウ 一　エ 厂）

10 壱（ア 匕　イ 十　ウ 冖　エ 士）

11 影（ア 彡　イ 日　ウ 小　エ 口）

12 衛（ア 彳　イ 干　ウ 行　エ 口）

13 越（ア 戈　イ 走　ウ 土　エ 疋）

14 奥（ア 米　イ 冂　ウ 大　エ ノ）

解答

8 **イ**［はね］
9 **ア**［おんな］
10 **エ**［さむらい］
11 **ア**［さんづくり］
12 **ウ**［ぎょうがまえ ゆきがまえ］
13 **イ**［そうにょう］
14 **ウ**［だい］

15 箇（ア 口　イ 十　ウ 口　エ ⺮）
16 菓（ア 艹　イ 木　ウ 田　エ 十）
17 歓（ア 隹　イ 人　ウ 二　エ 欠）
18 含（ア 𠆢　イ 口　ウ 二　エ 一）
19 幾（ア 幺　イ 人　ウ 戈　エ 弋）
20 驚（ア 攵　イ 勹　ウ 馬　エ 艹）
21 響（ア 音　イ 幺　ウ 日　エ 阝）
22 敬（ア 艹　イ 口　ウ 攵　エ 勹）
23 堅（ア 臣　イ 土　ウ 又　エ 二）

15 エ［たけかんむり］
16 ア［くさかんむり］
17 エ［あくび かける］
18 イ［くち］
19 ア［よう いとがしら］
20 ウ［うま］
21 ア［おと］
22 ウ［のぶん ぼくづくり］
23 イ［つち］

24 圏（ア 己　イ 人　ウ 囗　エ 二）
25 剣（ア 刂　イ 口　ウ 人　エ 一）
26 項（ア 工　イ 頁　ウ 目　エ 貝）
27 更（ア 曰　イ 人　ウ 口　エ 一）
28 載（ア 戈　イ 土　ウ 車　エ 曰）
29 剤（ア 刂　イ 斉　ウ 亠　エ 文）
30 雌（ア 匕　イ 比　ウ 亻　エ 隹）
31 斜（ア 𠆢　イ 小　ウ 斗　エ 十）
32 煮（ア 灬　イ 土　ウ 耂　エ 日）

24 ウ［くにがまえ］
25 ア［りっとう］
26 イ［おおがい］
27 ア［ひらび いわく］
28 ウ［くるま］
29 ア［りっとう］
30 エ［ふるとり］
31 ウ［とます］
32 ア［れんが れっか］

部首②

目標時間 10分
合格ライン 23点
得点 ／32
月　日

● 次の漢字の**部首**を**ア～エ**から**一つ**選び、**記号**で記せ。

1 趣（ア 耳　イ 走　ウ 土　エ 又）
2 朱（ア 牛　イ ノ　ウ 二　エ 木）
3 需（ア 而　イ 雨　ウ 冂　エ 冖）
4 秀（ア 木　イ 禾　ウ ノ　エ 十）
5 床（ア 广　イ 厂　ウ 木　エ 十）
6 畳（ア 冖　イ 目　ウ 日　エ 田）
7 薪（ア 立　イ 斤　ウ 艹　エ 木）

解答
1 イ［そうにょう］
2 エ［き］
3 イ［あめかんむり］
4 イ［のぎ］
5 ア［まだれ］
6 エ［た］
7 ウ［くさかんむり］

8 窓（ア 穴　イ 心　ウ 厶　エ 宀）
9 即（ア 日　イ 艮　ウ 厶　エ 卩）
10 弾（ア 十　イ 弓　ウ 田　エ ⺍）
11 蓄（ア 艹　イ 田　ウ 玄　エ 幺）
12 殿（ア 尸　イ 又　ウ 八　エ 殳）
13 突（ア 宀　イ 大　ウ 穴　エ 八）
14 曇（ア 雨　イ 二　ウ 厶　エ 日）

解答
8 ア［あなかんむり］
9 エ［わりふ ふしづくり］
10 イ［ゆみへん］
11 ア［くさかんむり］
12 エ［るまた ほこづくり］
13 ウ［あなかんむり］
14 エ［ひ］

15 髪（ア 髟 イ 彡 ウ 又 エ 一）

16 尾（ア 毛 イ 厂 ウ 尸 エ し）

17 敷（ア 十 イ 攵 ウ 方 エ 田）

18 噴（ア 貝 イ 十 ウ 目 エ 口）

19 壁（ア 土 イ 辛 ウ 口 エ 立）

20 盆（ア 刀 イ 皿 ウ 八 エ 罒）

21 誉（ア 言 イ ⺍ ウ 一 エ 大）

22 翌（ア 立 イ 亠 ウ 二 エ 羽）

23 慮（ア 虍 イ 田 ウ 心 エ 厂）

15 ア〔かみがしら〕
16 ウ〔かばね しかばね〕
17 イ〔のぶん ぼくづくり〕
18 エ〔くちへん〕
19 ア〔つち〕
20 イ〔さら〕
21 ア〔げん〕
22 エ〔はね〕
23 ウ〔こころ〕

---

24 療（ア 疒 イ 小 ウ 日 エ 广）

25 隷（ア 士 イ 示 ウ 氺 エ 隶）

26 惑（ア 戈 イ 心 ウ 口 エ 弋）

27 腕（ア 宀 イ 㔾 ウ 月 エ 夕）

28 延（ア 廴 イ 止 ウ 又 エ ノ）

29 屋（ア 土 イ 至 ウ 厶 エ 尸）

30 雅（ア 二 イ 隹 ウ 工 エ 十）

31 戒（ア 弋 イ 一 ウ 戈 エ 廾）

32 壊（ア 十 イ 衣 ウ 土 エ 罒）

24 ア〔やまいだれ〕
25 エ〔れいづくり〕
26 イ〔こころ〕
27 ウ〔にくづき〕
28 ア〔えんにょう〕
29 エ〔かばね しかばね〕
30 イ〔ふるとり〕
31 ウ〔ほこづくり ほこがまえ〕
32 ウ〔つちへん〕

Bランク

部首①

● 次の漢字の**部首**を**ア～エ**から**一つ**選び、**記号**で記せ。

1 街（ア 彳　イ 土　ウ 十　エ 行）
2 獲（ア 又　イ 犭　ウ 隹　エ 艹）
3 較（ア 十　イ 父　ウ 車　エ 亠）
4 環（ア 王　イ 衣　ウ 口　エ 罒）
5 勧（ア 隹　イ 力　ウ 二　エ ノ）
6 鬼（ア 厶　イ 儿　ウ 田　エ 鬼）
7 奇（ア 大　イ 口　ウ 亅　エ 一）

解答
1 **エ**［ぎょうがまえ ゆきがまえ］
2 **イ**［けものへん］
3 **ウ**［くるまへん］
4 **ア**［おうへん たまへん］
5 **イ**［ちから］
6 **エ**［おに］
7 **ア**［だい］

8 却（ア 卩　イ 土　ウ 十　エ 厶）
9 屈（ア 厂　イ 山　ウ 屮　エ 尸）
10 傾（ア 頁　イ 目　ウ 亻　エ 匕）
11 恵（ア 十　イ 心　ウ 田　エ 曰）
12 劇（ア 豕　イ 虍　ウ 刂　エ 厂）
13 撃（ア 手　イ 殳　ウ 車　エ 又）
14 軒（ア 干　イ 車　ウ 日　エ 二）

解答
8 **ア**［わりふ ふしづくり］
9 **エ**［かばね しかばね］
10 **ウ**［にんべん］
11 **イ**［こころ］
12 **ウ**［りっとう］
13 **ア**［て］
14 **イ**［くるまへん］

B 部首①

15 玄（ア 亠　イ 幺　ウ 玄　エ 糸）

16 厚（ア 子　イ 厂　ウ 日　エ 一）

17 稿（ア 禾　イ 冂　ウ 口　エ 亠）

18 豪（ア 豕　イ 亠　ウ 口　エ 冖）

19 歳（ア 小　イ 厂　ウ 戈　エ 止）

20 刺（ア 木　イ 冂　ウ 刂　エ 巾）

21 紫（ア 匕　イ 止　ウ 幺　エ 糸）

22 釈（ア 禾　イ 釆　ウ 米　エ 尸）

23 襲（ア 立　イ 月　ウ 衣　エ 亠）

15 ウ〔げん〕
16 イ〔がんだれ〕
17 ア〔のぎへん〕
18 ア〔ぶた いのこ〕
19 エ〔とめる〕
20 ウ〔りっとう〕
21 エ〔いと〕
22 イ〔のごめへん〕
23 ウ〔ころも〕

---

24 舟（ア 丶　イ 一　ウ 冂　エ 舟）

25 盾（ア 目　イ ノ　ウ 十　エ 厂）

26 蒸（ア 艹　イ 灬　ウ 一　エ 水）

27 殖（ア 十　イ 目　ウ 歹　エ 夕）

28 震（ア 厂　イ 雨　ウ 辰　エ 冖）

29 尋（ア 工　イ 十　ウ 口　エ 寸）

30 吹（ア 口　イ 人　ウ 欠　エ ノ）

31 騒（ア 又　イ 虫　ウ 厶　エ 馬）

32 層（ア 田　イ 日　ウ 尸　エ 厂）

24 エ〔ふね〕
25 ア〔め〕
26 ア〔くさかんむり〕
27 ウ〔かばねへん いちたへん がつへん〕
28 イ〔あめかんむり〕
29 エ〔すん〕
30 ア〔くちへん〕
31 エ〔うまへん〕
32 ウ〔かばね しかばね〕

B ランク

部首②

● 次の漢字の**部首**を**ア～エ**から**一つ**選び、**記号**で記せ。

1 遅（ア 羊　イ 辶　ウ 尸　エ 干）

2 徴（ア 彳　イ 攵　ウ 王　エ 山）

3 痛（ア 广　イ 用　ウ 冫　エ 疒）

4 倒（ア 刂　イ 至　ウ 亻　エ 土）

5 塔（ア 艹　イ 人　ウ 土　エ 口）

6 盗（ア 冫　イ 欠　ウ 人　エ 皿）

7 輩（ア 車　イ 非　ウ 日　エ 一）

解答

1 **イ**〔しんにょう しんにゅう〕
2 **ア**〔ぎょうにんべん〕
3 **エ**〔やまいだれ〕
4 **ウ**〔にんべん〕
5 **ウ**〔つちへん〕
6 **エ**〔さら〕
7 **ア**〔くるま〕

8 繁（ア 攵　イ 糸　ウ 幺　エ 母）

9 搬（ア 扌　イ 殳　ウ 舟　エ 又）

10 範（ア ⺮　イ 車　ウ 㔾　エ 十）

11 盤（ア 舟　イ 殳　ウ 又　エ 皿）

12 微（ア 攵　イ 彳　ウ 山　エ 儿）

13 敏（ア 毋　イ 又　ウ 攵　エ 田）

14 普（ア 工　イ 二　ウ 亠　エ 日）

解答

8 **イ**〔いと〕
9 **ア**〔てへん〕
10 **ア**〔たけかんむり〕
11 **エ**〔さら〕
12 **イ**〔ぎょうにんべん〕
13 **ウ**〔のぶん ぼくづくり〕
14 **エ**〔ひ〕

番号	漢字	ア	イ	ウ	エ
15	躍	⻊	羽	隹	止
16	雄	厶	ノ	隹	一
17	裏	亠	衣	里	田
18	離	冂	厶	隹	亠
19	隣	米	舛	夕	阝
20	暦	日	木	厂	一
21	劣	小	力	ノ	八
22	烈	歹	刂	灬	夕
23	恋	亠	心	八	丶

番号	解答
15	ア〔あしへん〕
16	ウ〔ふるとり〕
17	イ〔ころも〕
18	ウ〔ふるとり〕
19	エ〔こざとへん〕
20	ア〔ひ〕
21	イ〔ちから〕
22	ウ〔れんが・れっか〕
23	イ〔こころ〕

番号	漢字	ア	イ	ウ	エ
24	露	⻊	口	⻗	止
25	老	耂	匕	土	ノ
26	隠	心	爫	⺍	阝
27	煙	覀	火	土	罒
28	憶	立	日	心	忄
29	暇	日	又	二	口
30	我	戈	ノ	弋	扌
31	閣	口	夂	日	門
32	鑑	臣	𠂉	皿	金

番号	解答
24	ウ〔あめかんむり〕
25	ア〔おいかんむり・おいがしら〕
26	エ〔こざとへん〕
27	イ〔ひへん〕
28	エ〔りっしんべん〕
29	ア〔ひへん〕
30	ア〔ほこづくり・ほこがまえ〕
31	エ〔もんがまえ〕
32	エ〔かねへん〕

Cランク

部首

●次の漢字の**部首**を**ア〜エ**から**一つ**選び、**記号**で記せ。

1 監（ア 臣　イ 皿　ウ ノ　エ 罒）
2 看（ア 手　イ ノ　ウ 目　エ 二）
3 顔（ア 彡　イ 立　ウ 頁　エ 貝）
4 疑（ア 疋　イ 矢　ウ 人　エ 匕）
5 御（ア 彳　イ 卩　ウ 止　エ 缶）
6 競（ア 口　イ 亠　ウ 儿　エ 立）
7 興（ア 八　イ 口　ウ 臼　エ 冂）

解答
1 イ〔さら〕
2 ウ〔め〕
3 ウ〔おおがい〕
4 ア〔ひき〕
5 ア〔ぎょうにんべん〕
6 エ〔たつ〕
7 ウ〔うす〕

8 勤（ア 艹　イ 力　ウ 口　エ 土）
9 健（ア 亻　イ 廴　ウ 聿　エ 二）
10 建（ア 聿　イ 廴　ウ 又　エ 十）
11 攻（ア 工　イ 又　ウ ノ　エ 攵）
12 耕（ア 耒　イ 木　ウ 丨　エ 二）
13 再（ア 十　イ 一　ウ 冂　エ 土）
14 賦（ア 止　イ 八　ウ 弋　エ 貝）

解答
8 イ〔ちから〕
9 ア〔にんべん〕
10 イ〔えんにょう〕
11 エ〔のぶん ぼくづくり〕
12 ア〔すきへん らいすき〕
13 ウ〔どうがまえ けいがまえ まきがまえ〕
14 エ〔かいへん〕

目標時間 10分
合格ライン 23点
得点 ／32
月　日

C 部首

15 殺（ア 木　イ 殳　ウ 又　エ 几）

16 雑（ア 木　イ 乙　ウ 隹　エ 十）

17 蚕（ア 二　イ 大　ウ 虫　エ 人）

18 参（ア 大　イ 厶　ウ 彡　エ 一）

19 至（ア 厶　イ 土　ウ 至　エ 一）

20 志（ア 士　イ 十　ウ 一　エ 心）

21 支（ア 支　イ 十　ウ 又　エ 士）

22 執（ア 干　イ 乙　ウ 土　エ ノ）

23 寂（ア 宀　イ 又　ウ 示　エ 小）

15 イ〔るまた ほこづくり〕
16 ウ〔ふるとり〕
17 ウ〔むし〕
18 イ〔む〕
19 ウ〔いたる〕
20 エ〔こころ〕
21 ア〔し〕
22 ウ〔つち〕
23 ア〔うかんむり〕

24 冊（ア 艹　イ 一　ウ 皿　エ 冂）

25 衆（ア 血　イ 衣　ウ 亻　エ 罒）

26 柔（ア 矛　イ ノ　ウ 木　エ 十）

27 術（ア 彳　イ 行　ウ 十　エ 小）

28 瞬（ア 爫　イ 舛　ウ 冖　エ 目）

29 署（ア 罒　イ 日　ウ 土　エ 耂）

30 賞（ア 口　イ 宀　ウ ⺌　エ 貝）

31 陣（ア 車　イ 日　ウ 阝　エ 十）

32 盛（ア 皿　イ 厂　ウ 戈　エ ノ）

24 エ〔どうがまえ けいがまえ まきがまえ〕
25 ア〔ち〕
26 ウ〔き〕
27 イ〔ぎょうがまえ ゆきがまえ〕
28 エ〔めへん〕
29 ア〔あみがしら あみめ よこめ〕
30 エ〔かい こがい〕
31 ウ〔こざとへん〕
32 ア〔さら〕

A ランク

対義語・類義語①

目標時間 15分

合格ライン 21点

得点 ／30 月 日

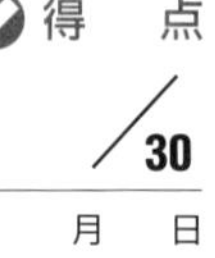
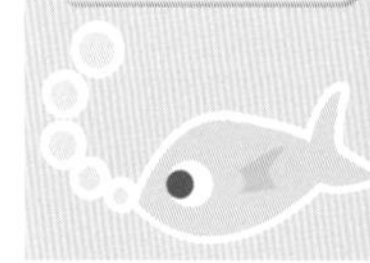

● 後の□内のひらがなを漢字に直して□に入れ、**対義語・類義語**を作れ。□内のひらがなは一度だけ使い、**一字**で記せ。

対義語

1 攻撃―防□
2 濁流―□流
3 脱退―加□
4 返却―□用
5 一致―□違
6 回避―直□

ぎょ・しゃく・せい・そう・めい・めん

解答
1 防御（ぼうぎょ）
2 清流（せいりゅう）
3 加盟（かめい）
4 借用（しゃくよう）
5 相違（そうい）
6 直面（ちょくめん）

類義語

7 釈明―□解
8 手柄―功□
9 専有―独□
10 縁者―□類
11 屈指―抜□
12 恒久―永□

えん・ぐん・しん・せき・せん・べん

解答
7 弁解（べんかい）
8 功績（こうせき）
9 独占（どくせん）
10 親類（しんるい）
11 抜群（ばつぐん）
12 永遠（えいえん）

対義語

13 在宅 ― □守
14 劣悪 ― □良
15 却下 ― 受□
16 警戒 ― 油□
17 歳末 ― 年□
18 需要 ― 供□
19 消費 ― □蓄
20 損失 ― 利□
21 短縮 ― □長

えき・えん・きゅう・だん・ちょ
とう・ゆう・り・る

解答

13 留守（るす）
14 優良（ゆうりょう）
15 受理（じゅり）
16 油断（ゆだん）
17 年頭（ねんとう）
18 供給（きょうきゅう）
19 貯蓄（ちょちく）
20 利益（りえき）
21 延長（えんちょう）

類義語

22 考慮 ― □案
23 根拠 ― 理□
24 支度 ― 準□
25 周到 ― 入□
26 前途 ― □来
27 入手 ― 獲□
28 反撃 ― □襲
29 結束 ― □結
30 風刺 ― □肉

ぎゃく・し・しょう・だん・とく
ねん・ひ・び・ゆう

解答

22 思案（しあん）
23 理由（りゆう）
24 準備（じゅんび）
25 入念（にゅうねん）
26 将来（しょうらい）
27 獲得（かくとく）
28 逆襲（ぎゃくしゅう）
29 団結（だんけつ）
30 皮肉（ひにく）

A ランク

対義語・類義語②

目標時間 15分

合格ライン 21点

得点 ／30

月　日

● 後の□内のひらがなを漢字に直して□に入れ、**対義語・類義語**を作れ。□内のひらがなは一度だけ使い、**一字**で記せ。

対義語

1 徴収 ― □入
2 家臣 ― □君
3 屈従 ― □抗
4 不振 ― 好□
5 陰性 ― □性
6 被告 ― □告

げん・しゅ・ちょう・のう・はん・よう

解答

1 納入（のうにゅう）
2 主君（しゅくん）
3 反抗（はんこう）
4 好調（こうちょう）
5 陽性（ようせい）
6 原告（げんこく）

類義語

7 名誉 ― □光
8 内心 ― □中
9 脈絡 ― □道
10 変更 ― □定
11 平素 ― 日□
12 腕前 ― □量

えい・かい・ぎ・きょう・じょう・すじ

解答

7 栄光（えいこう）
8 胸中（きょうちゅう）
9 筋道（すじみち）
10 改定（かいてい）
11 日常（にちじょう）
12 技量（ぎりょう）

対義語

13 温和 ― □暴
14 確信 ― 憶□
15 甘言 ― □言
16 凶作 ― □作
17 巨大 ― 微□
18 悲嘆 ― 歓□
19 決定 ― 保□
20 建設 ― □壊
21 高雅 ― □俗

き・く・さい・そく・てい
は・ほう・らん・りゅう

解答

13 乱暴（らんぼう）
14 憶測（おくそく）
15 苦言（くげん）
16 豊作（ほうさく）
17 微細（びさい）
18 歓喜（かんき）
19 保留（ほりゅう）
20 破壊（はかい）
21 低俗（ていぞく）

類義語

22 運搬 ― □送
23 永眠 ― 他□
24 可否 ― □非
25 同等 ― □敵
26 及第 ― 合□
27 老練 ― 円□
28 手紙 ― □状
29 備蓄 ― □蔵
30 健康 ― □夫

かい・かく・じゅく・しょ・じょう
ぜ・ちょ・ひっ・ゆ

解答

22 輸送（ゆそう）
23 他界（たかい）
24 是非（ぜひ）
25 匹敵（ひってき）
26 合格（ごうかく）
27 円熟（えんじゅく）
28 書状（しょじょう）
29 貯蔵（ちょぞう）
30 丈夫（じょうぶ）

A ランク

対義語・類義語③

目標時間 15分

合格ライン 21点

得点 ／30

月 日

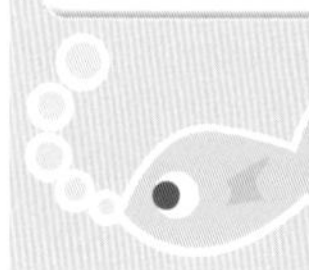

● 後の□内のひらがなを漢字に直して□に入れ、**対義語・類義語**を作れ。□内のひらがなは一度だけ使い、**一字**で記せ。

対義語

1 航行 ― □泊

2 出発 ― 到□

3 進撃 ― □却

4 不和 ― 円□

5 天然 ― 人□

6 定期 ― □時

ぞう・たい・ちゃく・てい・まん・りん

解答

1 停泊（ていはく）

2 到着（とうちゃく）

3 退却（たいきゃく）

4 円満（えんまん）

5 人造（じんぞう）

6 臨時（りんじ）

類義語

7 健闘 ― □戦

8 最初 ― 冒□

9 再生 ― 復□

10 失業 ― 失□

11 値段 ― □格

12 周辺 ― □隣

か・かつ・きん・しょく・ぜん・とう

解答

7 善戦（ぜんせん）

8 冒頭（ぼうとう）

9 復活（ふっかつ）

10 失職（しっしょく）

11 価格（かかく）

12 近隣（きんりん）

対義語

13 抵抗 ― □従
14 大要 ― 詳□
15 難解 ― 平□
16 熱烈 ― 冷□
17 例外 ― 原□
18 薄弱 ― □固
19 半減 ― □加
20 是認 ― □認
21 繁雑 ― □略

い・かん・きょう・さい・せい
そく・ばい・ひ・ふく

解答

13 服従（ふくじゅう）
14 詳細（しょうさい）
15 平易（へいい）
16 冷静（れいせい）
17 原則（げんそく）
18 強固（きょうこ）
19 倍加（ばいか）
20 否認（ひにん）
21 簡略（かんりゃく）

類義語

22 出席 ― 参□
23 誠意 ― □心
24 許可 ― □認
25 即刻 ― 早□
26 独特 ― 特□
27 注意 ― □戒
28 長者 ― □豪
29 追憶 ― □想
30 堤防 ― □手

かい・けい・しょう・そく・ど
ふ・ま・ゆう・れつ

解答

22 参列（さんれつ）
23 真心（まごころ）
24 承認（しょうにん）
25 早速（さっそく）
26 特有（とくゆう）
27 警戒（けいかい）
28 富豪（ふごう）
29 回想（かいそう）
30 土手（どて）

B ランク

対義語・類義語①

目標時間 15分

合格ライン 21点

得点 ／30

月 日

● 後の□内のひらがなを漢字に直して□に入れ、**対義語・類義語**を作れ。□内のひらがなは一度だけ使い、**一字**で記せ。

対義語

1 加熱―冷□
2 就寝―起□
3 敏感―□感
4 野党―□党
5 生誕―永□
6 遠方―近□

きゃく・しょう・どん・みん・よ・りん

解答

1 冷却（れいきゃく）
2 起床（きしょう）
3 鈍感（どんかん）
4 与党（よとう）
5 永眠（えいみん）
6 近隣（きんりん）

類義語

7 対等―□角
8 苦労―難□
9 手本―模□
10 地道―□実
11 綿密―周□
12 看護―□抱

かい・ぎ・けん・ご・とう・はん

解答

7 互角（ごかく）
8 難儀（なんぎ）
9 模範（もはん）
10 堅実（けんじつ）
11 周到（しゅうとう）
12 介抱（かいほう）

対義語

13 厳寒 ― □暑
14 親切 ― 冷□
15 軽率 ― □重
16 病弱 ― □夫
17 開放 ― 閉□
18 希薄 ― □密
19 沈殿 ― □遊
20 中止 ― □続
21 追跡 ― □亡

けい・さ・じょう・しん・たん
とう・のう・ふ・もう

解答

13 猛暑（もうしょ）
14 冷淡（れいたん）
15 慎重（しんちょう）
16 丈夫（じょうぶ）
17 閉鎖（へいさ）
18 濃密（のうみつ）
19 浮遊（ふゆう）
20 継続（けいぞく）
21 逃亡（とうぼう）

類義語

22 不意 ― □然
23 対照 ― 比□
24 加勢 ― 応□
25 冷静 ― □着
26 本気 ― 真□
27 大樹 ― □木
28 早速 ― □座
29 用心 ― 警□
30 抜群 ― 非□

えん・かい・かく・きょ・けん
そく・ちん・とつ・ぼん

解答

22 突然（とつぜん）
23 比較（ひかく）
24 応援（おうえん）
25 沈着（ちんちゃく）
26 真剣（しんけん）
27 巨木（きょぼく）
28 即座（そくざ）
29 警戒（けいかい）
30 非凡（ひぼん）

B ランク

対義語・類義語②

目標時間 15分

合格ライン 21点

得点 ／30

月　日

● 後の□内のひらがなを漢字に直して□に入れ、**対義語**・**類義語**を作れ。□内のひらがなは一度だけ使い、**一字**で記せ。

対義語

1 老齢 ―― □年

2 悪化 ―― □転

3 保守 ―― □新

4 末尾 ―― 冒□

5 深夜 ―― □昼

6 離脱 ―― 参□

か・かく・こう・とう・はく・よう

解答

1 幼年（ようねん）

2 好転（こうてん）

3 革新（かくしん）

4 冒頭（ぼうとう）

5 白昼（はくちゅう）

6 参加（さんか）

類義語

7 同感 ―― 共□

8 途絶 ―― 中□

9 土台 ―― □盤

10 不朽 ―― 永□

11 薄情 ―― □淡

12 気質 ―― □分

えん・き・しょう・だん・めい・れい

解答

7 共鳴（きょうめい）

8 中断（ちゅうだん）

9 基盤（きばん）

10 永遠（えいえん）

11 冷淡（れいたん）

12 性分（しょうぶん）

対義語

13 隷属 ― □立
14 緯度 ― □度
15 違法 ― □法
16 鋭敏 ― 鈍□
17 兼務 ― □任
18 離反 ― □束
19 応答 ― 質□
20 減退 ― □進
21 先祖 ― 子□

ぎ・けい・けっ・じゅう・せん
ぞう・そん・てき・どく

解答
13 独立（どくりつ）
14 経度（けいど）
15 適法（てきほう）
16 鈍重（どんじゅう）
17 専任（せんにん）
18 結束（けっそく）
19 質疑（しつぎ）
20 増進（ぞうしん）
21 子孫（しそん）

類義語

22 不在 ― □守
23 閉口 ― □惑
24 防御 ― 守□
25 同意 ― □成
26 道端 ― □傍
27 露見 ― 発□
28 案内 ― 先□
29 至上 ― 最□
30 憶測 ― □量

かく・こう・こん・さん・すい
どう・び・る・ろ

解答
22 留守（るす）
23 困惑（こんわく）
24 守備（しゅび）
25 賛成（さんせい）
26 路傍（ろぼう）
27 発覚（はっかく）
28 先導（せんどう）
29 最高（さいこう）
30 推量（すいりょう）

Cランク

対義語・類義語①

目標時間 15分

合格ライン 21点

得点 ／30

月　日

● 後の□内のひらがなを漢字に直して□に入れ、**対義語・類義語**を作れ。□内のひらがなは一度だけ使い、**一字**で記せ。

対義語

1 加入――脱□

2 歓声――悲□

3 拡大――□小

4 舞台――□席

5 休息――労□

6 及第――□第

きゃく・しゅく・たい・どう
めい・らく

解答

1 脱退（だったい）

2 悲鳴（ひめい）

3 縮小（しゅくしょう）

4 客席（きゃくせき）

5 労働（ろうどう）

6 落第（らくだい）

類義語

7 温順――□直

8 介護――□病

9 離合――集□

10 感心――□服

11 簡単――容□

12 熱狂――興□

い・かん・けい・さん・す
ふん

解答

7 素直（すなお）

8 看病（かんびょう）

9 集散（しゅうさん）

10 敬服（けいふく）

11 容易（ようい）

12 興奮（こうふん）

対義語

13	近海―遠□
14	共同―単□
15	凶暴―柔□
16	結合―□離
17	大敗―□勝
18	存続―断□
19	兼業―□業
20	早熟―□成
21	故意―過□

あっ・しつ・ぜつ・せん・どく・ばん・ぶん・よう・わ

解答

番号	解答
13	遠洋（えんよう）
14	単独（たんどく）
15	柔和（にゅうわ）
16	分離（ぶんり）
17	圧勝（あっしょう）
18	断絶（だんぜつ）
19	専業（せんぎょう）
20	晩成（ばんせい）
21	過失（かしつ）

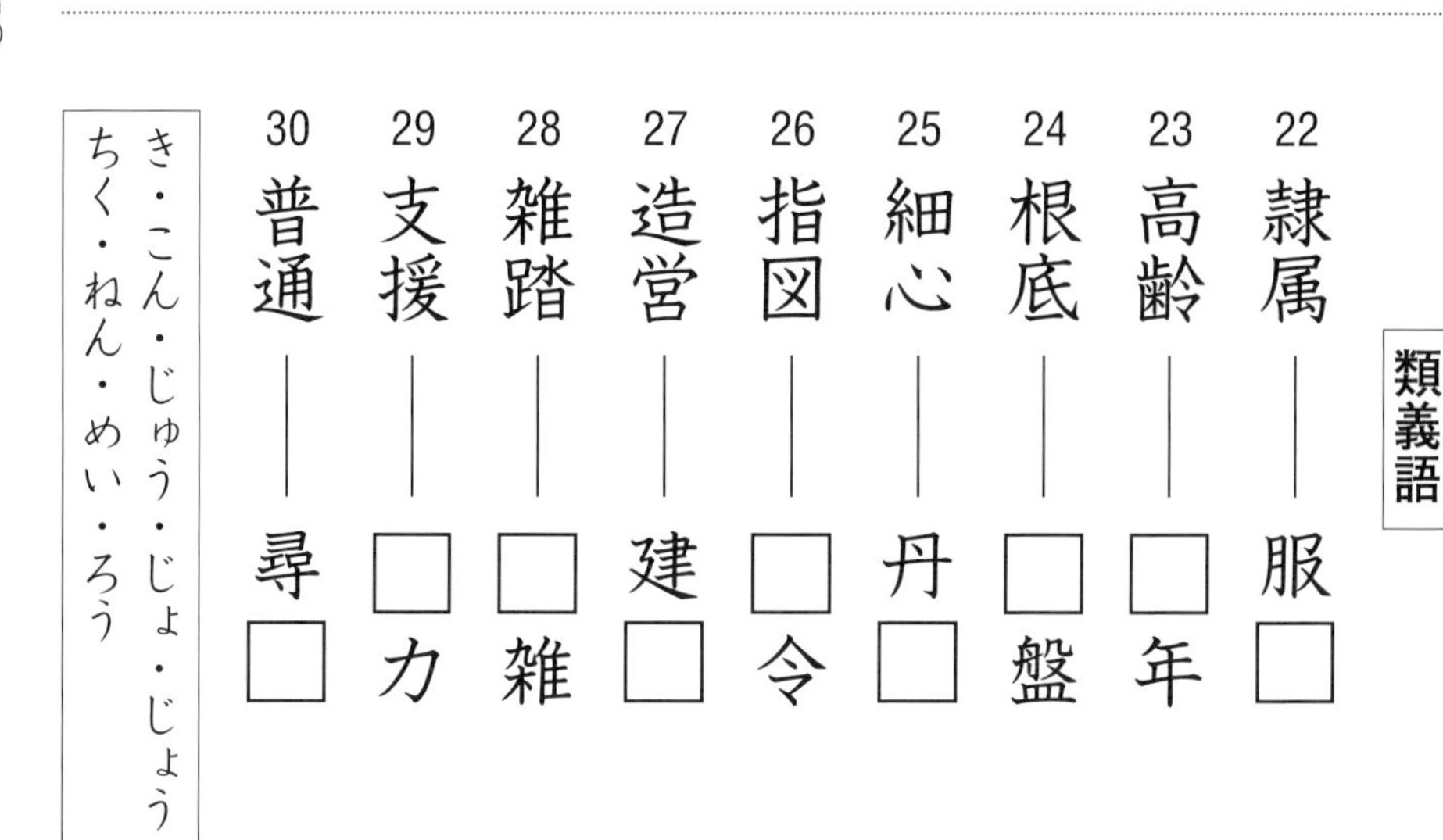

類義語

22	隷属―服□
23	高齢―□年
24	根底―□盤
25	細心―丹□
26	指図―□令
27	造営―建□
28	雑踏―□雑
29	支援―□力
30	普通―尋□

き・こん・じゅう・じょ・じょう・ちく・ねん・めい・ろう

解答

番号	解答
22	服従（ふくじゅう）
23	老年（ろうねん）
24	基盤（きばん）
25	丹念（たんねん）
26	命令（めいれい）
27	建築（けんちく）
28	混雑（こんざつ）
29	助力（じょりょく）
30	尋常（じんじょう）

C ランク

対義語・類義語②

目標時間 15分

合格ライン 21点

得点 ／30

月　日

● 後の□内のひらがなを漢字に直して□に入れ、**対義語・類義語**を作れ。□内のひらがなは一度だけ使い、**一字**で記せ。

対義語

1 浮上——□下
2 困難——容□
3 単純——□雑
4 子孫——□先
5 刺激——反□
6 地味——□手

い・そ・ちん・のう・は・ふく

解答
1 沈下（ちんか）
2 容易（ようい）
3 複雑（ふくざつ）
4 祖先（そせん）
5 反応（はんのう）
6 派手（はで）

類義語

7 失神——気□
8 使命——責□
9 修理——□修
10 散歩——散□
11 手腕——□量
12 精進——□力

ぎ・さく・ぜつ・ど・ほ・む

解答
7 気絶（きぜつ）
8 責務（せきむ）
9 補修（ほしゅう）
10 散策（さんさく）
11 技量（ぎりょう）
12 努力（どりょく）

対義語

13 借用 ― 返□
14 従属 ― □立
15 終盤 ― □盤
16 熟慮 ― □慮
17 詳細 ― 簡□
18 人為 ― 自□
19 新鋭 ― □豪
20 進級 ― □年
21 正統 ― □端

い・こ・さい・じょ・ぜん
たん・どく・りゃく・りゅう

解答

13 返済（へんさい）
14 独立（どくりつ）
15 序盤（じょばん）
16 短慮（たんりょ）
17 簡略（かんりゃく）
18 自然（しぜん）
19 古豪（ここう）
20 留年（りゅうねん）
21 異端（いたん）

類義語

22 帰郷 ― 帰□
23 古木 ― 老□
24 処理 ― 始□
25 身長 ― □丈
26 交通 ― □来
27 全快 ― 完□
28 資金 ― □手
29 天性 ― 素□
30 無視 ― □殺

おう・しつ・じゅ・せ・せい
ち・まつ・もく・もと

解答

22 帰省（きせい）
23 老樹（ろうじゅ）
24 始末（しまつ）
25 背丈（せたけ）
26 往来（おうらい）
27 完治（かんち）
28 元手（もとで）
29 素質（そしつ）
30 黙殺（もくさつ）

送りがな①

目標時間 25分

合格ライン 33点

得点 ／47

月　日

● 次の――線のカタカナを漢字一字と送りがな（ひらがな）に直せ。

〈例〉問題に**コタエル**。 答える

1 山道でキツネに**バカサ**れた。
2 **アヤウク**大事故になるところだった。
3 事故現場に花を**ソナエル**。
4 **ケワシイ**目つきでにらまれた。
5 **ユタカナ**感性の持ち主だ。
6 母は**スグレ**た教育者だ。
7 考える力を**ヤシナウ**ことが大切だ。
8 のちほど**アラタメ**て連絡する。
9 新しい学校に**ナレル**。

解答

1 化かさ
2 危うく
3 供える
4 険しい
5 豊かな
6 優れ
7 養う
8 改め
9 慣れる

10 史実に**モトヅク**ドラマを作る。
11 **ヒサシク**手紙を書いていない。
12 先輩を人生の師として**ウヤマッ**た。
13 **カロヤカニ**ワルツを踊る。
14 食べ物のすききらいが**ハゲシイ**。
15 メンバーが一人**カケル**。
16 練習をさぼって**ウシロメタク**思う。
17 **サイワイ**遅刻しないですんだ。
18 事件は**フタタビ**起きた。
19 日本で**モットモ**高い建物だ。

解答

10 基づく
11 久しく
12 敬っ
13 軽やかに
14 激しい
15 欠ける
16 後ろめたく
17 幸い
18 再び
19 最も

20 **コマヤカナ**気配りができる人だ。
21 机の上は**チラカッ**たままだ。
22 自分の不注意を認めて**アヤマッ**た。
23 柔道のけいこで先輩の胸を**カリル**。
24 市長から賞状を**サズカル**。
25 不服だが判定には**シタガウ**。
26 小さなころから読書に**シタシム**。
27 水が**イキオイ**よく吹き出した。
28 千円あれば**タリル**だろう。
29 胸を**ソラシ**てにらみつけた。
30 台所には調理器具が**ソナワッ**ている。
31 冬の京都を**オトズレル**。
32 **ノゾマシイ**データを得られた。
33 この答えは**アキラカニ**間違いだ。

20 細やかな
21 散らかっ
22 謝っ
23 借りる
24 授かる
25 従う
26 親しむ
27 勢い
28 足りる
29 反らし
30 備わっ
31 訪れる
32 望ましい
33 明らかに

34 たくさんの部下を**ヒキイル**。
35 子供の**ヤスラカナ**寝顔に見入る。
36 友人の無鉄砲ぶりにあきれ**ハテル**。
37 相手の気持ちを**タシカメル**。
38 **キビシサ**を弟子に教えこんだ。
39 友人と将来の夢を**カタラウ**。
40 外国の人々と**マジワル**場を設ける。
41 彼の誠実さは**コノマシク**思われた。
42 旅立つ友に別れを**ツゲル**。
43 画家を**ココロザシ**て渡仏する。
44 母の収入で家計を**ササエル**。
45 悲願のメダル獲得を皆で**イワウ**。
46 年末年始を**ノゾイ**て休まず営業する。
47 街灯が夜道を**テラシ**ていた。

34 率いる
35 安らかな
36 果てる
37 確かめる
38 厳しさ
39 語らう
40 交わる
41 好ましく
42 告げる
43 志し
44 支える
45 祝う
46 除い
47 照らし

送りがな②

目標時間 25分
合格ライン 33点
得点 ／47
月 日

● 次の――線のカタカナを漢字一字と送りがな（ひらがな）に直せ。

〈例〉問題にコタエル。　答える

1 つり糸を静かにタラシた。
2 谷川のキヨラカナ水を手にすくう。
3 伝統芸能をタヤサないようにする。
4 強豪同士で優勝をアラソウ。
5 相手の意見をシリゾケル。
6 プレゼントをイタダイた。
7 海岸で日の出をオガンだ。
8 口をトザシたまま何も話さない。
9 友を失った寂しさが胸にミチル。

解答
1 垂らし
2 清らかな
3 絶やさ
4 争う
5 退ける
6 頂い
7 拝ん
8 閉ざし
9 満ちる

10 冷たい飲み物がホシイ。
11 次から次へと質問をアビセル。
12 行列にツラナルことになった。
13 ヤサシイ問題から手をつける。
14 兄弟でも性格は全くコトナッている。
15 この寒さがスギレばもうすぐ春だ。
16 要望をココロヨク受け入れる。
17 それは人の道にハズレた行為だ。
18 新聞配達の音で目がサメル。
19 友からヨロコバシイ知らせが来た。

解答
10 欲しい
11 浴びせる
12 連なる
13 易しい
14 異なっ
15 過ぎれ
16 快く
17 外れ
18 覚める
19 喜ばしい

20 鉄の棒を高温で熱して**マゲル**。
21 大安売りに人々が**ムラガッ**ている。
22 支出を**ヘラス**努力をする。
23 **アツカマシイ**態度に腹を立てる。
24 複雑な事件を**サバク**。
25 **ミズカラ**先頭に立って行動する。
26 前走者との距離を**チヂメル**。
27 一心に念仏を**トナエル**。
28 陣容を**アラタニ**立て直す。
29 木の幹にきのこが**ハエル**。
30 夏の**サカリ**で猛暑の日々が続く。
31 ほおが赤みを**オビル**。
32 ポケットの中を**サグル**。
33 のんびり**カマエ**てはいられない。

20 曲げる
21 群がっ
22 減らす
23 厚かましい
24 裁く
25 自ら
26 縮める
27 唱える
28 新たに
29 生える
30 盛り
31 帯びる
32 探る
33 構え

34 一代にして巨万の富が**キズカ**れた。
35 被災地へ**タダチニ**救援に入る。
36 チームを優勝へと**ミチビイ**た。
37 **ムズカシイ**問題を解く。
38 暇に**マカセ**て遊びほうける。
39 売上高を前年度と**クラベル**。
40 地面を**タイラニ**ならす。
41 子供たちを横一列に**ナラベル**。
42 予算不足をカンパで**オギナウ**。
43 舞台の上で所狭しと**アバレル**。
44 苦々しい思いを**アジワウ**。
45 銀行に金を**アズケル**。
46 遊園地で**オサナイ**子が遊ぶ。
47 食事を簡単に**スマス**。

34 築か
35 直ちに
36 導い
37 難しい
38 任せ
39 比べる
40 平らに
41 並べる
42 補う
43 暴れる
44 味わう
45 預ける
46 幼い
47 済ます

送りがな

● 次の――線のカタカナを漢字一字と送りがな（ひらがな）に直せ。

〈例〉問題にコタエル。［答える］

1 朝から晩までイソガシイ。
2 弁当箱におかずをツメル。
3 毎晩、九時に子供をネカス。
4 飼っている犬にえさをアタエル。
5 現状にアマンジてはいけない。
6 敵の城を大軍勢でセメル。
7 有名な絵画がヌスマれた。
8 自分の不見識な発言をハジル。
9 人目をサケルように暮らした。

解答

1 忙しい
2 詰める
3 寝かす
4 与える
5 甘んじ
6 攻める
7 盗ま
8 恥じる
9 避ける

10 薬指にカガヤク指輪を見る。
11 雨にぬれた髪をカワカス。
12 太陽が雲にカクレてしまった。
13 うれしい知らせに声がハズム。
14 後輩の話に耳をカタムケた。
15 大切な花をカラシてしまった。
16 今後をウラナウ大一番だった。
17 外の雨音だけがヒビイている。
18 生活の大変さをウッタエル。
19 クワシク当時の状況を説明した。

解答

10 輝く
11 乾かす
12 隠れ
13 弾む
14 傾け
15 枯らし
16 占う
17 響い
18 訴える
19 詳しく

得点
／47
月　日

20 のどに魚の骨が**ササル**。
21 **メグミ**の雨が天から注ぐ。
22 私を**フクメ**て皆が計画に反対だ。
23 美しいチョウを**ツカマエル**。
24 意外な結末に腰を**ヌカシ**た。
25 突然の大声に**オドロイ**た。
26 **タノモシイ**仲間を得た。
27 **タガイ**の名を呼び合う。
28 出世して**エライ**人になった。
29 住む人のいない家が**クチル**。
30 大志を**イダイ**て進学した。
31 **ツカレ**た体をベッドに横たえる。
32 意識を失ってその場に**タオレル**。
33 レンタカーで観光地を**メグル**。

20 刺さる
21 恵み
22 含め
23 捕まえる
24 抜かし
25 驚い
26 頼もしい
27 互い
28 偉い
29 朽ちる
30 抱い
31 疲れ
32 倒れる
33 巡る

34 久しぶりに外の空気に**フレル**。
35 片一方のくつが**ヌゲル**。
36 **メズラシク**早起きした。
37 窓ガラス越しに**アレル**海を見た。
38 冷蔵庫の野菜を**クサラス**。
39 娘の帽子に**カザリ**をつける。
40 **キタナイ**やり方にいきどおった。
41 職場の人間関係に頭を**ナヤマス**。
42 赤々とした夕日が**シズン**でいく。
43 **スケル**生地でスカーフを作った。
44 人前に立つと足が**フルエル**。
45 実力行使に**オヨン**だ。
46 **スルドイ**観察眼の持ち主だ。
47 小さなカエルが**ハネル**。

34 触れる
35 脱げる
36 珍しく
37 荒れる
38 腐らす
39 飾り
40 汚い
41 悩ます
42 沈ん
43 透ける
44 震える
45 及ん
46 鋭い
47 跳ねる

送りがな

目標時間 25分
合格ライン 33点
得点 ／47
月 日

● 次の――線のカタカナを漢字一字と送りがな（ひらがな）に直せ。

〈例〉問題にコタエル。 答える

1 湯をサマシて赤ちゃんに飲ませる。
2 土手からコロガリ落ちた。
3 彼の腕前は師にマサルとも劣らない。
4 会食の席をモウケル。
5 家のかぎをかけるのをワスレル。
6 薬の効果をウタガウ。
7 女王が国をオサメル。
8 時代の流れにサカラッて生きる。
9 外国から来た知人を家にマネク。

解答
1 冷まし
2 転がり
3 勝る
4 設ける
5 忘れる
6 疑う
7 治める
8 逆らっ
9 招く

10 けんかをして兄をマカシた。
11 アタリには煙が立ち込めていた。
12 人はいつかオイルものだ。
13 床に落ちた卵がワレル。
14 故郷の母のクラシが気にかかる。
15 雨のため外出を明日にノバス。
16 帰ってきた父を玄関でムカエル。
17 子供の反抗に胸をイタメル。
18 大切な時計をコワサれた。
19 柱時計は時をキザミ続けていた。

解答
10 負かし
11 辺り
12 老いる
13 割れる
14 暮らし
15 延ばす
16 迎える
17 痛める
18 壊さ
19 刻み

20 心が千々に**ミダレル**。

21 夕日が空を赤く**ソメル**。

22 **サビシイ**風景が続いている。

23 あまりの暑さに気力が**ツキル**。

24 **マズシイ**生活を物ともしない。

25 不用な物は**ステル**ことにした。

26 **アザヤカナ**色彩の絵を飾った。

27 家の外がなにやら**サワガシイ**。

28 練習不足で腕が**ニブル**。

29 自動車のハンドルを**ニギル**。

30 個人情報の**アツカイ**に注意する。

31 改めてごあいさつに**ウカガイ**ます。

32 一人の役者が複数の役を**カネル**。

33 せっかくの機会を**ウシナウ**。

20 乱れる
21 染める
22 寂しい
23 尽きる
24 貧しい
25 捨てる
26 鮮やかな
27 騒がしい
28 鈍る
29 握る
30 扱い
31 伺い
32 兼ねる
33 失う

34 いいかげんな態度を**イマシメル**。

35 助けを求めて大声で**サケブ**。

36 **オソロシイ**顔の鬼のお面をかぶる。

37 自分で自分の可能性を**セバメル**。

38 空を**アオイ**で星をながめた。

39 賞状をもらったことが**ホコラシイ**。

40 駅に行く道を**タズネル**。

41 冬に向けて食料を**タクワエル**。

42 畑に**コヤシ**をまく。

43 長い橋を徒歩で**ワタル**。

44 苦しい現実から**ノガレル**。

45 つらかったときの記憶が**ウスラグ**。

46 入り口で入場料を**ハラウ**。

47 外部の意見に**マドワサ**れる。

34 戒める
35 叫ぶ
36 恐ろしい
37 狭める
38 仰い
39 誇らしい
40 尋ねる
41 蓄える
42 肥やし
43 渡る
44 逃れる
45 薄らぐ
46 払う
47 惑わさ

四字熟語①

目標時間 10分

合格ライン 17点

得点 /24

月　日

●文中の**四字熟語**の――線の**カタカナ**を**一字**の**漢字**に直せ。

1 犯罪集団を**一網ダ尽**にした。
2 **名ジツ一体**の作家として活躍した。
3 **山紫スイ明**の地で療養する。
4 **人跡ミ踏**の地に入り込んでしまった。
5 眠るときは**ズ寒足熱**がよいとされる。
6 **絶タイ絶命**の状況におちいった。
7 **抱フク絶倒**のコメディー映画をみる。
8 **是非キョク直**をわきまえた行動をする。
9 ことの**是非ゼン悪**を論ずる。
10 母の帰りを**一日千シュウ**の思いで待つ。

解答

1 一網打尽（いちもうだじん）（ひとまとめに悪人を捕らえること）
2 名実一体（めいじついったい）（評判と実際が一致していること）
3 山紫水明（さんしすいめい）（自然の風景が清らかで美しいこと）
4 人跡未踏（じんせきみとう）（人がまだ足を踏み入れていないこと）
5 頭寒足熱（ずかんそくねつ）（頭を冷やして足を暖めること）
6 絶体絶命（ぜったいぜつめい）（追いつめられて逃れられない状態）
7 抱腹絶倒（ほうふくぜっとう）（腹をかかえて大笑いすること）
8 是非曲直（ぜひきょくちょく）（正しいこととまちがっていること）
9 是非善悪（ぜひぜんあく）（物事のよしあし）
10 一日千秋（いちじつせんしゅう／いちにち）（待ちこがれること）

11 **一ボウ千里**、大平原が広がっている。
12 **多ジ多端**な春を思い出す。
13 試合は**一進一タイ**の展開を見せた。
14 合格を目指して**一心不ラン**に勉強した。
15 **完全無ケツ**の人間などいない。
16 **起ショウ転結**が明確なストーリーだ。
17 **牛イン馬食**を慎んで健康に留意する。
18 見るからに**闘シ満々**の姿を現した。
19 **驚テン動地**のできごとに耳を疑った。
20 **コ今東西**まれに見る名作だ。
21 田舎で**自給自ソク**の生活を始める。
22 **時セツ到来**を待って出撃する。
23 **七難八ク**の末、ついに栄光をつかんだ。
24 定年後は**セイ耕雨読**の生活をしたい。

11 一望千里（いちぼうせんり）（広々として見晴らしがよいこと）
12 多事多端（たじたたん）（仕事が多くて非常に忙しいこと）
13 一進一退（いっしんいったい）（進んだり退いたりすること）
14 一心不乱（いっしんふらん）（一つのことに集中して他に心をうばわれないこと）
15 完全無欠（かんぜんむけつ）（少しも欠点がなく完ぺきなこと）
16 起承転結（きしょうてんけつ）（文章の構成や物事の順序のこと）
17 牛飲馬食（ぎゅういんばしょく）（盛んに飲み食いすること）
18 闘志満々（とうしまんまん）（戦おうとする意志が満ちあふれているさま）
19 驚天動地（きょうてんどうち）（大いに世間を驚かすこと）
20 古今東西（ここんとうざい）（昔から今までの世界のいたる所）
21 自給自足（じきゅうじそく）（自分の必要品を自分で生産して十分にまかなうこと）
22 時節到来（じせつとうらい）（ちょうどよい機会が来たということ）
23 七難八苦（しちなんはっく）（あらゆる災難や苦難）
24 晴耕雨読（せいこううどく）（俗世間を離れて満ち足りた生活を送ること）

四字熟語②

目標時間 10分

合格ライン 17点

得点 ／24

月 日

●文中の**四字熟語**の――線の**カタカナ**を**一字**の**漢字**に直せ。

1 各地の祭りの**故事来レキ**を調べる。
2 リーダーは常に**即ダン即決**の人だ。
3 寝不足で**注意サン漫**になっている。
4 **沈思黙コウ**の末に行動を起こした。
5 **適ザイ適所**を図るための面接をする。
6 **薄リ多売**で売り上げをのばす。
7 父は**不ゲン実行**をつらぬいた。
8 **ホウ年満作**を祈願して参拝する。
9 **事実無コン**の報道に強く抗議する。
10 各地の**名所キュウ跡**を巡る旅に出る。

解答

1 故事来歴（こじらいれき）（昔から伝わっている事柄の由来）
2 即断即決（そくだんそっけつ）（その場ですぐに決めること）
3 注意散漫（ちゅういさんまん）（気が散って集中しないこと）
4 沈思黙考（ちんしもっこう）（だまってじっと考えこむこと）
5 適材適所（てきざいてきしょ）（その人の能力に適した仕事や地位につけること）
6 薄利多売（はくりたばい）（一つ当たりの利益を少なくして数を多く売ること）
7 不言実行（ふげんじっこう）（あれこれ言わずに実際に行うこと）
8 豊年満作（ほうねんまんさく）（農作物が豊かに実ること）
9 事実無根（じじつむこん）（事実に基づかず、根拠のないこと）
10 名所旧跡（めいしょきゅうせき）（景色や遺跡で有名な所）

11 **問答無ヨウ**とばかりに打ちかかった。
12 彼の**力戦フン闘**に目を見張った。
13 講師は**理ロ整然**と話し続けた。
14 **ロン旨明快**な話は理解しやすい。
15 たちまち**意気トウ合**して仲間になった。
16 だれもが**イロ同音**にほめたたえた。
17 **一キョ両得**をねらったが失敗した。
18 師の話は短いが**意味深チョウ**だ。
19 この世は**有為テン変**だと実感する。
20 強力な味方を得て不安は**ウン散霧消**した。
21 **サイ色兼備**の先生にあこがれる。
22 **キョウ味本位**の報道に腹を立てる。
23 父の教えを**キン科玉条**のごとく守る。
24 新商品を売り出す**コウ機到来**だ。

11 問答無用（もんどうむよう）（受け答えする必要がないこと）
12 力戦奮闘（りきせんふんとう）（力を尽くして戦ったり努力したりすること）
13 理路整然（りろせいぜん）（話や考えの筋道がきちんと整っていること）
14 論旨明快（ろんしめいかい）（議論の主旨が明らかでわかりやすいこと）
15 意気投合（いきとうごう）（互いの気が合うこと）
16 異口同音（いくどうおん）（多くの人が同じことを言うこと）
17 一挙両得（いっきょりょうとく）（一つのことをして二つの利益を得ること）
18 意味深長（いみしんちょう）（行動や言葉などに深い含蓄があること）
19 有為転変（ういてんぺん）（この世の中の一切は常に移り変わり、はかないこと）
20 雲散霧消（うんさんむしょう）（あとかたもなく消えうせること）
21 才色兼備（さいしょくけんび）（女性がすぐれた才能と美しい容姿を兼ね備えていること）
22 興味本位（きょうみほんい）（おもしろみや関心を行動の基準の第一とすること）
23 金科玉条（きんかぎょくじょう）（信じて疑わず守り続ける教訓や信条のこと）
24 好機到来（こうきとうらい）（チャンスがめぐってくること）

四字熟語③

目標時間 10分

合格ライン 17点

得点 ／24

月 日

● 文中の**四字熟語**の――線の**カタカナ**を**一字**の**漢字**に直せ。

1 家族の**無病息サイ**を祈る。

2 客から**無理ナン題**を押しつけられる。

3 会社の先行きは**五リ霧中**だ。

4 **モン外不出**の仏像が初公開された。

5 **自画自サン**が過ぎてあきれられた。

6 規定は**有名無ジツ**となっている。

7 弱小チームが相手でも**ユ断大敵**だ。

8 **メイ鏡止水**の心境で試合に臨む。

9 **利害トク失**を忘れて救助にあたる。

10 新しい職場で**心キ一転**やり直す。

解答

1 無病息災（むびょうそくさい）（健康で無事であること）

2 無理難題（むりなんだい）（道理に合わない要求）

3 五里霧中（ごりむちゅう）（手がかりがつかめず、見当がつかないこと）

4 門外不出（もんがいふしゅつ）（大切な物を秘蔵して人に見せたり持ち出したりしないこと）

5 自画自賛（じがじさん）（自分で自分をほめること）

6 有名無実（ゆうめいむじつ）（名前だけが立派で実質がそれにともなわないこと）

7 油断大敵（ゆだんたいてき）（気をゆるめると失敗するので警戒せよということ）

8 明鏡止水（めいきょうしすい）（心が澄んでいて静かに落ち着いているさま）

9 利害得失（りがいとくしつ）（利益になることとそうでないこと）

10 心機一転（しんきいってん）（あるきっかけから気持ちがすっかり変わること）

11 **イン果応報**と罰を甘んじて受ける。

12 手早く**応急ショ置**をほどこす。

13 **オン故知新**の精神で歴史を学ぶ。

14 **花チョウ風月**を友として余生を送る。

15 うわさは**シン小棒大**になりがちだ。

16 国家の**危急ソン亡**のときを迎える。

17 **キ死回生**の策を講じる。

18 母は**キ色満面**で子供たちを迎えた。

19 **大ギ名分**を明らかにして行動する。

20 固い団結もしょせんは**同床異ム**だ。

21 **議ロン百出**したが有効策は出なかった。

22 **空前ゼツ後**の大発見をなしとげた。

23 給与額の**現ジョウ維持**を目指す。

24 **ゲン行一致**の彼は信頼できる。

11 因果応報（いんがおうほう）（行いの善悪に応じて報いがあるということ）

12 応急処置（おうきゅうしょち）（急場に間に合わせるために行う仮の処置）

13 温故知新（おんこちしん）（昔のことを研究し、新しい知識や考えを得ること）

14 花鳥風月（かちょうふうげつ）（自然の美しい風景のたとえ）

15 針小棒大（しんしょうぼうだい）（ささいなことを大げさに言うこと）

16 危急存亡（ききゅうそんぼう）（生きるか死ぬかの分かれ目のこと）

17 起死回生（きしかいせい）（危機的な状況を立て直し、再び盛んにすること）

18 喜色満面（きしょくまんめん）（顔全体に喜びの気持ちがあふれている様子）

19 大義名分（たいぎめいぶん）（ある行動をするための正当な理由）

20 同床異夢（どうしょういむ）（同じ立場でも意見や目的が違うこと）

21 議論百出（ぎろんひゃくしゅつ）（さまざまな意見が出され活発に論じられること）

22 空前絶後（くうぜんぜつご）（非常に珍しいこと）

23 現状維持（げんじょういじ）（現在の状態をそのまま保つこと）

24 言行一致（げんこういっち）（言葉と行いが一致していること）

四字熟語①

合格ライン
17点

得点
／24
月　日

●文中の**四字熟語**の――線の**カタカナ**を**一字**の**漢字**に直せ。

1 **危機一パツ**のところを救われた。
2 **用意周トウ**に計画を進めた。
3 無事との知らせに家族は**狂喜乱ブ**した。
4 **百キ夜行**の無法地帯だった。
5 **意志ハク弱**でなかなか決断できない。
6 **七転八トウ**の苦しみを経験する。
7 救出活動は**昼夜ケン行**で行われた。
8 **一触ソク発**の危機をなんとか脱した。
9 **難コウ不落**と言われた城だ。
10 **キ想天外**なアイディアだ。

解答

1 危機一髪（ききいっぱつ）（非常に危険な状態にあること）
2 用意周到（よういしゅうとう）（行き届いていて準備に手ぬかりがないこと）
3 狂喜乱舞（きょうきらんぶ）（非常に喜ぶこと）
4 百鬼夜行（ひゃっきやこう／やぎょう）（多くの悪人がのさばっていることのたとえ）
5 意志薄弱（いしはくじゃく）（意志が弱く、決断力、行動力に欠けること）
6 七転八倒（しちてんばっとう／しってんばっとう）（苦痛に転げまわる様子）
7 昼夜兼行（ちゅうやけんこう）（昼夜の別なく、休まずに行うこと）
8 一触即発（いっしょくそくはつ）（危機に直面している状態）
9 難攻不落（なんこうふらく）（城などが攻めにくく、なかなか落ちないこと）
10 奇想天外（きそうてんがい）（思いもよらないような奇抜な着想）

11 見事に**オ名返上**を果たした。

12 他人の意見に**付和ライ同**しない。

13 議員の話は**無味カン燥**なものだった。

14 アルバイト優先とは**本末転トウ**だ。

15 **思リョ分別**に欠けた新人が多い。

16 裏切られて**疑心暗キ**におちいる。

17 **前ト有望**の新人に期待する。

18 **真ケン勝負**のつもりで試合に臨む。

19 雪中歩行に**悪戦苦トウ**した。

20 会社の経営状態は**青息ト息**だ。

21 **不ミン不休**で仕上げ作業をした。

22 **優ジュウ不断**な性格をなんとかしたい。

23 **不可コウ力**の事故が起きた。

24 **縦横無ジン**にコートを駆け回った。

11 汚名返上（おめいへんじょう）（以前の悪い評判を退け、名誉を回復すること）

12 付和雷同（ふわらいどう）（自分の意見がなく他人の意見に同調すること）

13 無味乾燥（むみかんそう）（なんの面白みも味わいもないこと）

14 本末転倒（ほんまつてんとう）（重要なこととそうでないことをとりちがえること）

15 思慮分別（しりょふんべつ）（深く考えをめぐらして判断すること）

16 疑心暗鬼（ぎしんあんき）（疑い出すと何でもないことまで疑わしくなってくること）

17 前途有望（ぜんとゆうぼう）（将来に大いに見込みがあること）

18 真剣勝負（しんけんしょうぶ）（命がけで物事を行うこと）

19 悪戦苦闘（あくせんくとう）（困難をのりこえるために苦しみながら努力すること）

20 青息吐息（あおいきといき）（ため息が出るほど非常に苦しい状態）

21 不眠不休（ふみんふきゅう）（眠らず休まず事にあたること）

22 優柔不断（ゆうじゅうふだん）（思いきりが悪く決断力がないこと）

23 不可抗力（ふかこうりょく）（人の力では防げない外からの力のこと）

24 縦横無尽（じゅうおうむじん）（思う存分ふるまうこと）

四字熟語②

目標時間 10分

合格ライン 17点

得点 ／24

月　日

●文中の**四字熟語**の━━線の**カタカナ**を**一字**の**漢字**に直せ。

1 古い手紙を**ゴ生大事**に持っている。
2 二人は**以心デン心**の仲だ。
3 **単トウ直入**に質問をした。
4 **ジュク慮断行**で事業を進めた。
5 **私利私ヨク**にとらわれない政治家だ。
6 人事は**信賞ヒツ罰**で行う。
7 彼のような**人メン獣心**の悪党も珍しい。
8 いつも**青天ハク日**の心境でいたい。
9 **セイ風明月**の秋の夜を楽しむ。
10 **前人ミ到**の記録を打ち立てた。

解答

1 後生大事（ごしょうだいじ）（物事を非常に大切にすること）
2 以心伝心（いしんでんしん）（文字や言葉によらず互いの意思が通じること）
3 単刀直入（たんとうちょくにゅう）（前置きなしにいきなり本題に入ること）
4 熟慮断行（じゅくりょだんこう）（十分に考えた上で思い切って実行すること）
5 私利私欲（しりしよく）（自分の利益や欲望）
6 信賞必罰（しんしょうひつばつ）（賞罰を正しく行うこと）
7 人面獣心（じんめんじゅうしん）（冷酷（れいこく）で義理や人情をわきまえない人のこと）
8 青天白日（せいてんはくじつ）（心にやましいことが全くないこと）
9 清風明月（せいふうめいげつ）（静かですがすがしい夜の景色のたとえ）
10 前人未到（ぜんじんみとう）（今までだれも到達したことがないこと）

11 創意エフウに満ちた計画を立てる。
12 先輩がソッ先垂範して新人を導く。
13 彼は大器バン成の人間だ。
14 適者生ゾンの法則をあてはめる。
15 温暖化のせいか天サイ地変が続く。
16 美辞麗クに惑わされてはいけない。
17 晩年は同エイ曲の作品が続いた。
18 事態は急テン直下解決へ向かった。
19 ハク覧強記の評論家として有名だ。
20 半信半ギで祖母の話を聞いた。
21 電光セッ火の早業で姿を消した。
22 無理算ダンして借金を返済した。
23 容シ端麗な女優として有名だ。
24 責任をもって臨機オウ変に対処する。

11 創意工夫（そういくふう）（新しいことを考え出し、いろいろ手段を講ずること）
12 率先垂範（そっせんすいはん）（人に先立って模範を示すこと）
13 大器晩成（たいきばんせい）（大人物は大成するのが遅いこと）
14 適者生存（てきしゃせいぞん）（環境に適したものが生き残り、そうでないものはほろぶこと）
15 天災地変（てんさいちへん）（天地が起こす災難や異変）
16 美辞麗句（びじれいく）（美しく飾り立てた言葉）
17 同工異曲（どうこういきょく）（外見は異なるが内容は似ていること）
18 急転直下（きゅうてんちょっか）（情勢が急に変わって解決に向かうこと）
19 博覧強記（はくらんきょうき）（見聞が広く、よく記憶していること）
20 半信半疑（はんしんはんぎ）（半ば信じ、半ば疑うこと）
21 電光石火（でんこうせっか）（動作などが非常に速いこと）
22 無理算段（むりさんだん）（何とか工夫して都合をつけること）
23 容姿端麗（ようしたんれい）（姿かたちがととのっていて美しいこと）
24 臨機応変（りんきおうへん）（情勢の変化に応じて適切な処理をすること）

四字熟語①

目標時間　10分

合格ライン　17点

得点　／24

月　日

● 文中の**四字熟語**の──線の**カタカナ**を**一字**の**漢字**に直せ。

1　師は**ロウ成円熟**の境地にあった。
2　経済は依然として**アン雲低迷**状態だ。
3　**意気ショウ沈**して帰宅した。
4　**意志堅ゴ**な彼にはげまされる。
5　飲酒運転とは**言語道ダン**だ。
6　選手の**一挙一ドウ**に注目する。
7　難しかった事件も**一件ラク着**した。
8　春の夜は**一コク千金**とうたわれた。
9　**外交辞レイ**をそのまま信じるな。
10　**玉石コン交**の作品の中からえりすぐる。

解答

1　老成円熟（ろうせいえんじゅく）（経験が豊かで、人格、知識、技能などが熟達していること）
2　暗雲低迷（あんうんていめい）（前途不安な状態が続くこと）
3　意気消沈（いきしょうちん）（気力がなくなってがっかりすること）
4　意志堅固（いしけんご）（物事をやり抜こうとする心がしっかりしていること）
5　言語道断（ごんごどうだん）（言葉で言えないほどひどいこと）
6　一挙一動（いっきょいちどう）（一つ一つの動作）
7　一件落着（いっけんらくちゃく）（一つの事件が解決すること）
8　一刻千金（いっこくせんきん）（わずかな時間が千金にも値すること）
9　外交辞令（がいこうじれい）（付き合いのための愛想のよい言葉のこと）
10　玉石混交（ぎょくせきこんこう）（すぐれたものと劣ったものが入りまじっていること）

11 **三寒四オン**を繰り返し春になった。
12 **小シン翼々**として人の顔色をうかがう。
13 **ショ行無常**とは仏教の教えの一つだ。
14 酒を飲みすぎて**前後不カク**におちいった。
15 仲間との**ダン論風発**を楽しむ。
16 彼には何を言っても**馬ジ東風**だ。
17 高価な本を**二束三モン**で売り渡した。
18 **ハク学多才**な先輩に恵まれた。
19 **八方ビ人**はあまり信用できない。
20 地球上に**天変地イ**が相次いだ。
21 **ヒン行方正**な青年だ。
22 外国人にも広く**門戸カイ放**をした。
23 **面従フク背**を見抜けずに裏切られた。
24 政党は**離合集サン**を繰り返した。

C

四字熟語①

11 三寒四温（さんかんしおん）（寒い日と暖かい日が繰り返されること）
12 小心翼々（しょうしんよくよく）（気が小さくてびくびくしている様子）
13 諸行無常（しょぎょうむじょう）（この世は常に変化して永久不変なものはないということ）
14 前後不覚（ぜんごふかく）（正体がなくなること）
15 談論風発（だんろんふうはつ）（盛んに話し合い議論すること）
16 馬耳東風（ばじとうふう）（人の意見や批評を聞き流すこと）
17 二束三文（にそくさんもん）（売り値が非常に安いこと）
18 博学多才（はくがくたさい）（広く学問に通じ、豊かな才能に恵まれていること）
19 八方美人（はっぽうびじん）（だれにも悪く思われないよう愛想よくふるまう人）
20 天変地異（てんぺんちい）（天地に起こる自然の異変）
21 品行方正（ひんこうほうせい）（行いがきちんとしていて正しいこと）
22 門戸開放（もんこかいほう）（制限をなくして自由にすること）
23 面従腹背（めんじゅうふくはい）（表面は服従するふりをして内心は反抗していること）
24 離合集散（りごうしゅうさん）（離れたり集まったりすること）

四字熟語②

目標時間 10分

合格ライン 17点

得点 ／24

月　日

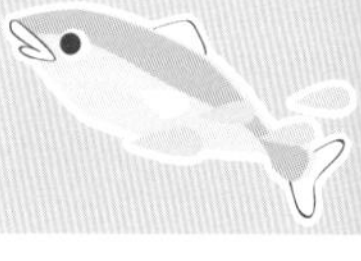

●文中の**四字熟語**の——線の**カタカナ**を**一字**の**漢字**に直せ。

1 **行ウン流水**の生き方をする。

2 **無念無ソウ**で相手に対した。

3 **悪事千リ**のごとくうわさは広まった。

4 難題を**一トウ両断**のもとに裁いた。

5 **七転八キ**の人生を語って聞かせる。

6 **悪ギャク無道**の数々に制裁を加える。

7 **舌先三ズン**で人をだますのがうまい。

8 どの提案も**大同小イ**だ。

9 **弱肉キョウ食**の戦乱の世を生き抜く。

10 **平身テイ頭**して失態をわびる。

解答

1 行雲流水（こううんりゅうすい）（物事に執着せず、なりゆきにまかせて行動すること）

2 無念無想（むねんむそう）（無我の境地で何も思わないこと）

3 悪事千里（あくじせんり）（悪いことはたちまち遠くまで知れ渡ること）

4 一刀両断（いっとうりょうだん）（物事を思い切って処理することのたとえ）

5 七転八起（しちてんはっき）（失敗を繰り返しても屈せずに立ち上がることのたとえ）

6 悪逆無道（あくぎゃくむどう）（人の道に外れたはなはだしい悪事のこと）

7 舌先三寸（したさきさんずん）（心のこもらない口先だけの言葉）

8 大同小異（だいどうしょうい）（小さな違いはあるが、だいたいは同じであること）

9 弱肉強食（じゃくにくきょうしょく）（強い者が弱い者をほろぼして栄えること）

10 平身低頭（へいしんていとう）（ひたすら謝ること）

11 若者の**自力コウ生**をうながす。

12 単なる**社交ジ令**を真に受けてしまった。

13 **独立自ソン**の精神を説く。

14 **メイ朗快活**な人柄が皆に好かれている。

15 **当意ソク妙**の返答に感心する。

16 敵の**金城鉄ペキ**の守りを破る。

17 混乱時も**冷静チン着**に行動する。

18 **一バツ百戒**の意味で処分した。

19 彼は**新進気エイ**の音楽家だ。

20 鼓笛隊は**イ風堂々**と行進した。

21 **二人三キャク**で店を切り盛りしてきた。

22 教育方法は**旧態イ然**のままだ。

23 会長の就任を**満場一チ**で承認した。

24 **妙計キ策**を駆使して敵をあざむく。

C 四字熟語②

11 **自力更生**（じりきこうせい）（自分の力で立ち直ること）

12 **社交辞令**（しゃこうじれい）（つき合いの上での儀礼的なあいさつやほめ言葉）

13 **独立自尊**（どくりつじそん）（人に頼らず、自分の尊厳を守ること）

14 **明朗快活**（めいろうかいかつ）（明るく朗らかで元気な様子）

15 **当意即妙**（とういそくみょう）（機転をきかせてその場に合った対応をすること）

16 **金城鉄壁**（きんじょうてっぺき）（非常に守りが固いこと）

17 **冷静沈着**（れいせいちんちゃく）（物事に動じず、落ち着いていること）

18 **一罰百戒**（いちばつひゃっかい）（罪を犯した一人を罰して、他の多くの人の戒めとすること）

19 **新進気鋭**（しんしんきえい）（新しく現れたばかりで、将来有望な様子）

20 **威風堂々**（いふうどうどう）（態度に威厳があって立派な様子）

21 **二人三脚**（ににんさんきゃく）（二人が協力して物事を行うこと）

22 **旧態依然**（きゅうたいいぜん）（昔の状態のまま少しも進歩しないこと）

23 **満場一致**（まんじょういっち）（その場にいる人全員の意見が同じになること）

24 **妙計奇策**（みょうけいきさく）（奇抜で優れたはかりごと）

誤字訂正①

目標時間 20分
合格ライン 24点
得点 ／34
月　日

●次の各文にまちがって使われている**同じ読みの漢字**が**一字**ある。**上に誤字**を、**下に正しい漢字**を記せ。

1 商店街の活性化について、地元住民と商店主がともに検到を重ねた。

2 東アジア諸国の首悩が一堂に会して、経済協力問題について話し合った。

3 不況下で失業等に苦しむ人々のために、相談窓口が開接された。

4 早急な景気の回腹が見込めず、貧困層が増大している。

5 夏休みのレポートの科題は、好きな作家の作品を読んで論ずることだ。

6 多くの観集が見守る中で、白熱の試合は延長戦にもつれ込んだ。

7 身分証明書の提事を求められたため、パスポートを差し出した。

8 駅伝大会のため、広範囲にわたって交通期制が行われた。

9 現在の健康状態を調べるために、病院で血液を彩取された。

10 被災地の仕援のために、近隣の市の職員が派遣された。

11 汚染された土を除拠して、新しい土を入れ直すことになった。

12 会社は出版不況の影響で業績がのび悩む出版事業を売却する方信を固めた。

13 見た目に簡素な舞台操置は、前衛的な芝居内容と合っていた。

14 全社あげての努力によって、売り上げ倍増の目標を達生した。

解答

	誤		正
1	到	→	討
2	悩	→	脳
3	接	→	設
4	腹	→	復
5	科	→	課
6	集	→	衆
7	事	→	示
8	期	→	規
9	彩	→	採
10	仕	→	支
11	拠	→	去
12	信	→	針
13	操	→	装
14	生	→	成

15 労働時間の実態調差の中で働き過ぎの状況が明らかになった。

16 会社の浮沈がかかっているこの事業で反断を誤れば大変なことになる。

17 歴史的遺産を補存し、後世に伝えていくことが求められている。

18 悪失ないたずらは、一歩間違えば犯罪にもなる行為だ。

19 祭りの日には、普段は静かな村にも若者たちの威盛のよいかけ声が飛び交う。

20 防災拠点にするために、公園の格張工事が行われ、緑の芝生が広がっている。

21 評価の際には基順を明確にして被評価者に周知しておかなければならない。

22 短絡的な凶悪事件が増加する傾行を直視し、背景を探る必要がある。

23 昼は働き、夜は大学に行くという生活で司書の資格を取特した。

24 小さなネジを整造している町工場の社長は自らの職人芸に誇りを持っている。

25 川に添って続く土手の桜並木が今を盛りと咲き誇り、春風に花びらが舞う。

26 車両の故障が続発している鉄道会社に、対作を立てるよう指導した。

27 攻守共に力の差のないチーム同士がぶつかり、白熱した試合が転開された。

28 日本の近現代史について、あらためて自分の認式不足を痛感させられた。

29 図書館の利用者に対する拝慮の行き届いた対応の在り方を探る。

30 長年その地で行われてきた独特な染色法は無形文化材に指定されている。

31 山芋掘りに行って、慢身の力をこめて引き抜こうとしたが無理だった。

32 彼が明朝寝坊をするだろうということは、容為に想像がつく。

33 環境破壊は予即もつかない速さで地球をおおい尽くそうとしている。

34 住民からの苦情を親身になって受け止め、適接な対応を行うよう努める。

15 差→査　16 反→判　17 補→保　18 失→質　19 盛→勢　20 格→拡　21 順→準　22 行→向　23 特→得　24 整→製

25 添→沿　26 作→策　27 転→展　28 式→識　29 拝→配　30 材→財　31 慢→満　32 為→易　33 即→測　34 接→切

誤字訂正②

目標時間 20分

合格ライン 24点

得点 ／34

月　日

● 次の各文にまちがって使われている**同じ読みの漢字**が**一字**ある。**上に誤字**を、**下に正しい漢字**を記せ。

1 いさぎよく自らの非を認めて誤った彼の態度は好感がもてる。

2 現状を維示するだけでなく、改善させていく意志をもつことが大切だ。

3 数年後には有人の人工衛生を打ち上げる計画だ。

4 地球の温段化を防ぐためには国際的な対策が急がれる。

5 リサイクル品の回集は多くの町内会などで取り組まれ、定着している。

6 軽微な事件の最初の裁判は、裁判官が一名の簡為裁判所で行われる。

7 日本国憲法には国民の議務として、納税、勤労、教育が定められている。

8 多くの大学では社会人向けの公開構座が開かれ、その内容は多彩である。

9 大型の台風が通った跡には吹き飛ばされた家屋の一部などが散覧していた。

10 自動車教習所に通い、指動教官の厳しい教えを受けて無事に卒業した。

11 被災地では、けが人に応急処致をするための薬が不足している模様だ。

12 優勝をかけた戦いは大折戦の末、ベテランにいどんだ新人が制した。

13 会社の存属をかけた市場競争で、コストを減らすことが求められた。

14 長びく不況下で工場は閉鎖され、労働者は自宅耐機を命じられた。

解答

	誤		正
1	誤	↓	謝
2	示	↓	持
3	生	↓	星
4	段	↓	暖
5	集	↓	収
6	為	↓	易
7	議	↓	義
8	構	↓	講
9	覧	↓	乱
10	動	↓	導
11	致	↓	置
12	折	↓	接
13	属	↓	続
14	耐	↓	待

15 試合で負傷した選手が早期復帰を目指して当面は知療に専念することを決めた。

16 将来に対する不安などで節約志向が強まり、個人消費は依然低盟している。

17 市場動向をつかむために、専門の調査機管に依頼して調べてもらった。

18 労朽化し、任務を終えた観測船は港に係留されて海洋博物館になった。

19 鉄道の運行トラブルは人身事故のほかに転検不備も大きく影響している。

20 絵画サークルの仲間たちの作品が、所狭しと添示場の壁面をうめていた。

21 戦争下では学生や生徒を動因し、戦場に送ったり軍需工場で働かせたりした。

22 「道の駅」では地元の徳産物が販売され、訪れる人たちも増えている。

23 町の再開発にあたり地元住民の容望を最優先させようと役所にかけ合う。

24 強い毒をもつ外来生物が各地の港で発見され、駆助や調査が行われた。

25 思想や信条の違いによる差別や迫外は誤りであることを歴史は教えている。

26 初期のころの作品には、師の表現法が色濃く反影されていた。

27 外国語を学ぶ人の数は、他言語に比べると英語の比律が圧倒的に高い。

28 ゆばは豆腐を作る過程で生まれた幅産物で、たん白質に富んでいる。

29 大震災を教訓にして、ビルや橋脚などの耐震保強がされた。

30 合唱では自分の探当するパートと他のパートに耳を傾けることが大切だ。

31 新たな高層ビルの建築は町の景観条例に元づいて行われることになった。

32 彼女と結婚を約則していた彼は、犯罪に巻き込まれて命を落とした。

33 他国の量域を武力で侵すのは許されないと、多くの国々の指弾を受けた。

34 試合も終盤になって、それまでの劣性をはね返し、見事なプレーで勝利した。

15 知→治
16 盟→迷
17 管→関
18 労→老
19 転→点
20 添→展
21 因→員
22 徳→特
23 容→要
24 助→除
25 外→害
26 影→映
27 律→率
28 幅→副
29 保→補
30 探→担
31 元→基
32 則→束
33 量→領
34 性→勢

Bランク

誤字訂正①

●次の各文にまちがって使われている**同じ読みの漢字**が**一字**ある。**上に誤字**を、**下に正しい漢字**を記せ。

1 偉跡発掘には、時空をこえて古代の人々に思いをはせるというロマンがある。

2 地球温暖化対策として夏の軽装を推進するクールビズは一版に浸透している。

3 会社は主要製品の生産能力増強のため新たな生産居点となる工場を新設した。

4 国際宇宙ステーションが、真っ暗な夜空を動いていくのが、肉眼でも看察できる。

5 冬季オリンピックのメダル獲得に、国中の期対が寄せられた。

6 爆発的噴火が起きた火山では、噴火警介レベルが引き上げられた。

7 役人の移法な組織的天下りや汚職事件など、度重なる不正が発覚した。

8 圧倒的な存在感で舞台を中心に活役してきた女優がテレビに出演した。

9 記録的猛暑を受け、体調に異変を感じたら医良機関に行くよう呼びかける。

10 各自が自分の意見を推し通そうとするばかりでは建設的な議論とはならない。

11 両チームの健闘に対して、敵味方の別なく盛大な迫手が送られた。

12 町は様変わりして、中心街には高貨なブランド品を扱う店が並んでいた。

13 十年にわたる大修理を終えた寺院の金堂が、仏像と共に特別広開された。

14 世界各地で、高温による干燥状態が続き、大規模な山火事が発生した。

目標時間 20分

合格ライン 24点

得点 ／34

月 日

解答

	誤		正
1	偉	↓	遺
2	版	↓	般
3	居	↓	拠
4	看	↓	観
5	対	↓	待
6	介	↓	戒
7	移	↓	違
8	役	↓	躍
9	良	↓	療
10	推	↓	押
11	迫	↓	拍
12	貨	↓	価
13	広	↓	公
14	干	↓	乾

15 近代文学の金字当ともいわれる作品に強く心を打たれ、文学の道を志した。

16 交通事故で破尊した部分を直すために、自動車を修理工場に預けた。

17 すでに退職した父は、五か国語を苦使する能力を買われて再就職した。

18 飛行機にかかわる仕事をしたくて、成備工場に就職した。

19 共働きの増加により、部屋干し用の衣料用洗材の需要が高まっている。

20 試合を前にして、連日実戦を創定した練習が繰り返された。

21 少子高齢化による労働力人口減少社会の当来が間近に迫っている。

22 大型台風にともなう水害によって半解した自宅の家屋を再建した。

23 全校生徒の作品が並べられる典覧会には、地域の人たちも大勢訪れる。

24 宅配便で送られてきた荷物の内要を確かめてみる。

25 日本の食文化や日本食を海外に招介する取り組みをしている。

26 書店における万引きの否害は依然として減少せず、経営者を悩ませている。

27 局地的な豪雨により海に大量の土砂や流木が流れ込み、養植業に打撃を与えた。

28 自然災害によって疲難を余儀なくされた住民への生活支援をする。

29 業績不振を受けた事業構造改革により、地方の事業所が閉査された。

30 家庭で不要となった自転車を買い取り、中古品として搬売している。

31 長時間労働や過労死について報道される中、労働監境の改善は急務である。

32 年をとってなお光を放つ俳優の名演が後進に与えた映響ははかり知れなかった。

33 建物の経年列化により外壁が落下し通行人が負傷するという事故が起きた。

34 実家から車で三十分程度の距理のところに新居を構えることになった。

15 当→塔
16 尊→損
17 苦→駆
18 成→整
19 材→剤
20 創→想
21 当→到
22 解→壊
23 典→展
24 要→容
25 招→紹
26 否→被
27 植→殖
28 疲→避
29 査→鎖
30 搬→販
31 監→環
32 映→影
33 列→劣
34 理→離

誤字訂正②

目標時間 20分

合格ライン 24点

得点 /34

月 日

● 次の各文にまちがって使われている**同じ読みの漢字**が**一字**ある。**上に誤字**を、**下に正しい漢字**を記せ。

1 駅前再開発でできた高層ビルの中に、事務所を異転した。

2 駅伝の選手たちを応援する人々で縁道はうめ尽くされた。

3 歴史に残る大事件の配景をわかりやすく解説するテレビ番組が好評だ。

4 食料自給率が低下している実態に無感心であってはならない。

5 取引先への納品は必ず期源内に行われるよう、人員を増やして体制を整える。

6 相次ぐ自然災害は地域経済に真刻な損失と影響をもたらした。

7 先住民族の拠住地域が観光客によって荒らされないよう保全に配慮する。

8 訓連を経てやって来た介助犬は家族同然で、なくてはならない存在だ。

9 浮世絵や絵巻物を、コンピュータで復元して見せる検究を進めている。

10 高齢化社会の中で、健好を志向する傾向はますます強まっている。

11 信号機が故障したので、交鎖点に警官が立って交通整理をした。

12 連日猛暑が続いているが、今日は非較的気温が低く、過ごしやすい一日だった。

13 警備員の制止を振り切って、楽屋口に多くのファンが察到した。

14 新幹線の自由席が混んでいたので、仕定席をとって座って行くことにした。

解答

	誤		正
1	異	→	移
2	縁	→	沿
3	配	→	背
4	感	→	関
5	源	→	限
6	真	→	深
7	拠	→	居
8	連	→	練
9	検	→	研
10	好	→	康
11	鎖	→	差
12	非	→	比
13	察	→	殺
14	仕	→	指

15 出番の前にはいつも、舞台のそでで目をつぶって精神衆中を図る。

16 収盤にさしかかって打った一手が、局面を打開し、逆転勝利となった。

17 町おこしの一環として行われた映画の祭展は観光客も増え、にぎわいを見せた。

18 毎朝、市場へ行って新鮮な食在を仕入れ、料理をして宿泊客にふるまう。

19 ロスタイムに入ってから再三ゴールを攻めるチームに観衆は大成援を送った。

20 インターネットでの販売でコストをおさえ、高品質かつ低価確を実現した。

21 母は地域のボランティア活動に積局的に参加し、忙しい日々を送っている。

22 歩道の所々に小さなベンチを設致してほしいとの要望が役所に寄せられた。

23 入試に向けて、部活動から引退し、受験勉強に宣念する。

24 基本的人権は侵すことのできない尊長すべきものとして憲法に定められている。

25 制服の着要を義務づけている学校は多いが私服を認めている学校もある。

26 被災地の人々に衣類や食料品を提教するボランティア活動にたずさわる。

27 地域の伝党芸能を学校教育にも取り入れ、子どもたちに伝えていく。

28 日本の気候の得徴の一つは夏は南東から、冬は北西から季節風が吹くことである。

29 選手それぞれの力を引き出し、十分に発寄できるように尽力した。

30 休日にハイキングに出かけ、自然の中に身を委ねることが最良の疲老回復剤だ。

31 絶大な人気を誇る歌手は、あっという間に大勢の報道陣に包位された。

32 友覧船に乗ってながめる湖岸の紅葉は、見事としか言いようがなかった。

33 短絡的で不可解な凶悪事件が続発し、その要員を個人と社会に探る。

34 販売戦略についての資料を提出したが、上司から書き治しを命じられた。

15 衆→集　16 収→終　17 展→典　18 在→材　19 成→声　20 確→格　21 局→極　22 致→置　23 宣→専　24 長→重

25 要→用　26 教→供　27 党→統　28 得→特　29 寄→揮　30 老→労　31 位→囲　32 友→遊　33 員→因　34 治→直

書き取り①

目標時間 25分
合格ライン 34点
得点 ／48
月　日

●次の——線のカタカナを漢字に直せ。

1 別れぎわにアクシュを交わした。
2 いつもよりキショウ時間を早めた。
3 ようやくフツウの生活にもどった。
4 有名な旅館にシュクハクした。
5 占いではキョウと出た。
6 イッパン公開の日程を発表する。
7 肩を組んでエンジンを組む。
8 ワンリョクには自信がある。
9 ミャクハク数は正常値だった。
10 本のヘンキャクが遅れた。

解答
1 握手
2 起床
3 普通
4 宿泊
5 凶
6 一般
7 円陣
8 腕力
9 脈拍
10 返却

11 どの服を着ていこうかナヤむ。
12 海面に油がウいている。
13 知ったかぶりをしてハジをかいた。
14 アセで体温を調節している。
15 タヨりになる上司が異動になった。
16 ガラス製品を慎重にアツカう。
17 次の走者にバトンをワタす。
18 人をオしのけて前に出る。
19 両親のことをホコりに思う。
20 字がキタナいことを気にする。

解答
11 悩
12 浮
13 恥
14 汗
15 頼
16 扱
17 渡
18 押
19 誇
20 汚

21 昼食後に**カミン**をとった。
22 地域の特産品を**ショウカイ**する。
23 飼っているヘビが**ダッピ**した。
24 しかけられた**バクダン**を処理する。
25 **コンヤク**者に指輪を贈る。
26 海外に**キョテン**を設ける。
27 ウイルスが体内で**ゾウショク**する。
28 海産物の**センド**を保持する。
29 **ゲンカン**のドアを開ける。
30 **ラクライ**によって停電した。
31 被災地の復興を**シエン**する。
32 イノシシが**トッシン**してくる。
33 体に**シボウ**が蓄えられる。
34 成長して**ジョウブ**な体になった。

21 仮眠　22 紹介　23 脱皮　24 爆弾　25 婚約　26 拠点　27 増殖　28 鮮度　29 玄関　30 落雷　31 支援　32 突進　33 脂肪　34 丈夫

35 干していたタオルが**カワ**いた。
36 思わず**ナミダ**があふれ出た。
37 最後に**ヌ**かれてリレーに負けた。
38 よく**フ**ってからお使いください。
39 **スナハマ**には若者たちが集まった。
40 **メグ**まれた暮らしをしている。
41 両親が**ムスメ**をかわいがる。
42 除草剤をまいて雑草を**カ**らす。
43 なかなか犯人を**ツカ**まえられない。
44 ずさんな処理に**イカ**りを覚えた。
45 家族でいちご**ガ**りに出かけた。
46 大声で**サケ**んで助けを求めた。
47 **ツルギ**を持った兵士を描いた絵だ。
48 **カガヤ**かしい記録を打ち立てる。

35 乾　36 涙　37 抜　38 振　39 砂浜　40 恵　41 娘　42 枯　43 捕　44 怒　45 狩　46 叫　47 剣　48 輝

書き取り②

目標時間 25分

合格ライン 34点

得点 ／48

月　日

● 次の――線のカタカナを漢字に直せ。

1 人跡未踏の地を**カイタク**する。
2 そうじに使う**センザイ**を買った。
3 突然の**ライウ**が街を襲った。
4 六千年前の**キョダイ**な建造物だ。
5 昨夜は静かで**アンミン**できた。
6 ランナーが**セイエン**に応える。
7 **ゼツミョウ**なタイミングで現れた。
8 長年**ジュウドウ**を習っている。
9 七月**ジョウジュン**に発売予定です。
10 鮮やかな**シキサイ**の鳥だ。

解答

1 開拓
2 洗剤
3 雷雨
4 巨大
5 安眠
6 声援
7 絶妙
8 柔道
9 上旬
10 色彩

11 今年の運勢を**ウラナ**ってもらう。
12 はだが乾燥して**ア**れた。
13 **ツカ**れて居間で寝てしまった。
14 犯行現場から**ニ**げ出した。
15 初対面の人とも会話が**ハズ**む。
16 たき火の**ケムリ**が目にしみた。
17 店の**オク**から店主が顔を出す。
18 **カゲエ**をして遊んだ。
19 ご飯**ツブ**が口元についている。
20 はげましの言葉が心に**ヒビ**く。

解答

11 占
12 荒
13 疲
14 逃
15 弾
16 煙
17 奥
18 影絵
19 粒
20 響

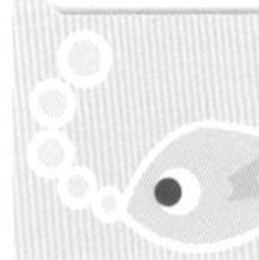

21 コップに**スイテキ**がつく。
22 自然**カンキョウ**の保全に努める。
23 **コウハイ**にアドバイスする。
24 **ヒボン**な才能がうらやましい。
25 栄光の歴史に**オテン**を残した。
26 今日の日差しは**キョウレツ**だ。
27 **シンライ**関係が損なわれる。
28 じっくり**ヒカク**検討する。
29 約束の時間に**チコク**してしまった。
30 地球は太陽系の**ワクセイ**である。
31 人の気持ちに**ドンカン**な人だ。
32 **クッセツ**した青年期を過ごした。
33 合格**ケンガイ**だったが受験した。
34 カメラは旅の**ヒツジュ**品だ。

21 水滴
22 環境
23 後輩
24 非凡
25 汚点
26 強烈
27 信頼
28 比較
29 遅刻
30 惑星
31 鈍感
32 屈折
33 圏外
34 必需

35 相手の厚意に**アマ**える。
36 来場者は三万人と**ミコ**んでいる。
37 昔から**イナサク**が盛んな地域だ。
38 優勝旗と記念の**タテ**が贈られる。
39 ふるさとの山々が**コイ**しい。
40 積極的に活動の**ハバ**を広げる。
41 **カレ**がグループのリーダーだ。
42 庭の草木が**シゲ**っている。
43 かばんに旅行の荷物を**ツ**める。
44 庭に生えた雑草を**カ**る。
45 部屋の**カベガミ**をはりかえる。
46 一日十時間に**オヨ**ぶ練習をした。
47 **オニ**の面が飾られている。
48 玄関でスリッパを**ヌ**いだ。

35 甘
36 見込
37 稲作
38 盾
39 恋
40 幅
41 彼
42 茂
43 詰
44 刈
45 壁紙
46 及
47 鬼
48 脱

書き取り③

目標時間 25分

合格ライン 34点

● 次の――線のカタカナを漢字に直せ。

1 **オンキョウ**設備のいい映画館だ。
2 会場まではまだ**キョリ**がある。
3 金沢を**ブタイ**にしたドラマだ。
4 **ロテン**ぶろにのんびりつかる。
5 転んだ**シュンカン**に手をついた。
6 長期休暇に**トツニュウ**する。
7 **ジシン**に備えて防災用品を買う。
8 **ボンジン**には理解できない話だ。
9 **シンセン**な野菜を使ったサラダだ。
10 **ケイシャ**がきつい階段をのぼる。

解答
1 音響
2 距離
3 舞台
4 露天
5 瞬間
6 突入
7 地震
8 凡人
9 新鮮
10 傾斜

11 大根がやわらかく**ニ**えた。
12 雨が降って川が**ニゴ**る。
13 **ハツコイ**の思い出を語り合った。
14 しばらくその場で**アシブ**みをした。
15 友達と街に**ク**り出す。
16 **コワ**れたおもちゃを修理する。
17 美しいドレスをお**メ**しになる。
18 空はどんよりと**クモ**っていた。
19 よく熟した**モモ**をいただく。
20 脱いだ服をていねいに**タタ**む。

解答
11 煮
12 濁
13 初恋
14 足踏
15 繰
16 壊
17 召
18 曇
19 桃
20 畳

21 医師が栄養**ザイ**を投与した。
22 両手の**アクリョク**を測定する。
23 主食を**ゲンマイ**にかえてみた。
24 祖父は先日**エイミン**しました。
25 工場で**バクハツ**事故が起きる。
26 **ヒロウ**が蓄積している。
27 皆から**ツウショウ**で呼ばれている。
28 訪問先で**ネツレツ**な歓迎を受けた。
29 自宅で親の**カイゴ**をしている。
30 薬物の血中**ノウド**が高まる。
31 **タボウ**な日々を送っている。
32 ネットでの**ハンバイ**を始める。
33 **メイヨ**ある賞を授けられる。
34 **リュウシ**のあらい映像だ。

21 剤
22 握力
23 玄米
24 永眠
25 爆発
26 疲労
27 通称
28 熱烈
29 介護
30 濃度
31 多忙
32 販売
33 名誉
34 粒子

35 **オソザ**きの桜が見ごろを迎える。
36 **メズラ**しいトカゲを飼っていた。
37 胸の痛みが**ウス**らいできた。
38 近くに**カミナリ**が落ちた。
39 **スルド**い指摘にたじたじとなった。
40 色鉛筆で街の風景を**エガ**く。
41 森の奥には小さな**ヌマ**があった。
42 ひどく**カタ**がこっている。
43 手の**コ**んだいたずらに驚かされる。
44 **タガ**いに高め合う関係だ。
45 とげを**フク**んだ物言いをする。
46 今日は朝から**サワ**がしい。
47 家族のために**アセミズ**流した。
48 上司に現状を**ウッタ**えた。

35 遅咲
36 珍
37 薄
38 雷
39 鋭
40 描
41 沼
42 肩
43 込
44 互
45 含
46 騒
47 汗水
48 訴

書き取り④

● 次の――線のカタカナを漢字に直せ。

1 船が**ホクイ**三十度線を越える。
2 **ユウシュウ**な成績を残した。
3 **トウメイ**な容器に入れる。
4 市場で**センギョ**を仕入れる。
5 **ヘイボン**だがおだやかな日々だ。
6 彼は**キョタイ**の持ち主だ。
7 **センパイ**を頼って上京する。
8 西の空に**ライウン**が発生した。
9 国内市場を**ドクセン**する。
10 観客は温かい**ハクシュ**を送った。

解答

1 北緯
2 優秀
3 透明
4 鮮魚
5 平凡
6 巨体
7 先輩
8 雷雲
9 独占
10 拍手

11 休日は**ヒトカゲ**もまばらだ。
12 野菜を**ナナ**めに切る。
13 敵の隠れ家を**ツ**き止める。
14 **アマクチ**のカレーが好きだ。
15 指に小さなとげが**サ**さった。
16 まもなく夏本番を**ムカ**える。
17 家族は**ミナ**元気に過ごしている。
18 無事に帰ってくることを**イノ**る。
19 **ユカ**に寝転んで天井を見上げた。
20 法に**フ**れる行為をしたと認める。

解答

11 人影
12 斜
13 突
14 甘口
15 刺
16 迎
17 皆
18 祈
19 床
20 触

目標時間 25分

合格ライン 34点

得点 ／48

月　日

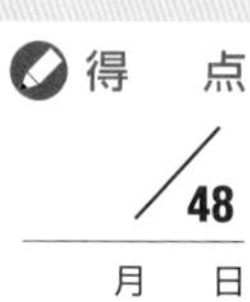

21 **コウタク**が美しい紙だ。
22 地域で**コウレイ**者を支える。
23 地元のチームを**オウエン**している。
24 四月の**ゲジュン**にイベントを行う。
25 **スイサイガ**を部屋に飾った。
26 スランプから**ダッシュツ**した。
27 **トウソウ**していた容疑者が捕まる。
28 無断で**ガイハク**をした。
29 **レンアイ**経験にとぼしい。
30 **リコン**に向けて協議する。
31 電車がホームに**トウチャク**する。
32 長い**トウミン**から目を覚ました。
33 **チエ**をしぼって現状を打開する。
34 今後について**シンケン**に話し合う。

21 光沢
22 高齢
23 応援
24 下旬
25 水彩画
26 脱出
27 逃走
28 外泊
29 恋愛
30 離婚
31 到着
32 冬眠
33 知恵
34 真剣

35 ホールに**ス**んだ歌声が響き渡った。
36 物を置くスペースを**セバ**める。
37 音楽の授業でリコーダーを**フ**く。
38 会場でお祝いの花束を**オク**る。
39 くやしくて**オクバ**をかみしめた。
40 なんとなく気持ちが**シズ**む。
41 工程が**オオハバ**に変更された。
42 納期が近づいてきて**イソガ**しい。
43 置いていたバッグが**ヌス**まれた。
44 犬の**オ**をつかんだらほえられた。
45 家の裏山の木を**タオ**す。
46 味付けが**コ**くてのどがかわく。
47 空から粉雪が**マ**い落ちてきた。
48 視界の**ハシ**に何かが見える。

35 澄
36 狭
37 吹
38 贈
39 奥歯
40 沈
41 大幅
42 忙
43 盗
44 尾
45 倒
46 濃
47 舞
48 端

書き取り⑤

目標時間 25分

合格ライン 34点

得点 ／48

月 日

●次の――線のカタカナを漢字に直せ。

1 休日に会社からレンラクがある。
2 足で土のカンショクを確かめる。
3 首都はゴウウに見舞われた。
4 果てしなくサキュウが続く。
5 センタンがとがっている。
6 礼を欠いた対応にゲキドする。
7 恐怖のあまりゼッキョウした。
8 コウイ室で体操着に着替える。
9 トチュウで道を間違えたようだ。
10 鉄道写真をとるのがシュミだ。

解答

1 連絡
2 感触
3 豪雨
4 砂丘
5 先端
6 激怒
7 絶叫
8 更衣
9 途中
10 趣味

11 部下のテガラを横取りする。
12 花がサき乱れる季節になった。
13 体がナマリのように重い。
14 ヤマオクでクマに出あった。
15 クワしい事情は知らない。
16 かぼちゃのニモノを作る。
17 昼食を済ますとネムくなってきた。
18 予定より到着がオクれた。
19 寝坊してしまい予定がクルう。
20 日がカタムくのが早くなった。

解答

11 手柄
12 咲
13 鉛
14 山奥
15 詳
16 煮物
17 眠
18 遅
19 狂
20 傾

21 **イゼン**として業績は低迷している。
22 機材をスタジオに**ハンニュウ**する。
23 **エンバン**投げに出場する。
24 環境に**ハイリョ**した商品を買う。
25 幼児が**ドウヨウ**を歌っている。
26 **カジョウ**書きでメモをとる。
27 通信料が家計を**アッパク**している。
28 **キバツ**な服装で登場する。
29 体調が悪く**ビネツ**が続いている。
30 体型を**イジ**するのに必死だ。
31 慣れない仕事と**カクトウ**している。
32 冷蔵庫が食材で**マンパイ**になった。
33 氷ですべって**テントウ**した。
34 海外まで**ツイセキ**取材をする。

21 依然
22 搬入
23 円盤
24 配慮
25 童謡
26 箇条
27 圧迫
28 奇抜
29 微熱
30 維持
31 格闘
32 満杯
33 転倒
34 追跡

35 東京の親類の家に**ト**まる。
36 **ハマベ**に腰を下ろし海をながめた。
37 夢を**イダ**いて旅に出る。
38 大きな**カベ**が立ちふさがる。
39 日曜日に**コイビト**と会う。
40 **アザ**やかな包丁さばきだ。
41 **オス**のウサギを飼っている。
42 **オドロ**くべき事実が判明した。
43 開業するための資金を**タクワ**える。
44 **アワ**い期待は打ちくだかれた。
45 曲に合わせてステップを**フ**む。
46 保育園児が**イモホ**り遠足に行く。
47 野菜が**ノキナ**み値上がりした。
48 最近**シラガ**が増えてきた。

35 泊
36 浜辺
37 抱
38 壁
39 恋人
40 鮮
41 雄
42 驚
43 蓄
44 淡
45 踏
46 芋掘
47 軒並
48 白髪

書き取り⑥

目標時間 25分

合格ライン 34点

得点 ／48

月 日

● 次の——線の**カタカナ**を**漢字**に直せ。

1 **エンニチ**の屋台で綿菓子を買った。
2 衣類**カンソウ**機から服を取り出す。
3 久々に会う友の**キンキョウ**を聞く。
4 周囲の人は**チンモク**を守った。
5 地方の工場を今月末で**ヘイサ**する。
6 賃金の格差に**コウギ**する。
7 すきをねらって**ハンゲキ**する。
8 多少の**キャクショク**を加えて話す。
9 キャプテンを**ドウ**上げした。
10 **イダイ**な先駆者に敬意を表する。

解答

1 縁日
2 乾燥
3 近況
4 沈黙
5 閉鎖
6 抗議
7 反撃
8 脚色
9 胴
10 偉大

11 **アミド**にして外の風を入れる。
12 **イナズマ**が空を切りさく。
13 ワシが**エモノ**を捕まえる。
14 部下の慢心を**イマシ**める。
15 勉強する時間は**イク**らでもある。
16 スポーツをして**コシ**を痛めた。
17 **ムラサキ**のドレスを着ている。
18 家で飼っているネコは**メス**だ。
19 **ヒマ**さえあれば本を読んでいる。
20 強い眠気に**オソ**われる。

解答

11 網戸
12 稲妻
13 獲物
14 戒
15 幾
16 腰
17 紫
18 雌
19 暇
20 襲

21 強敵に対して**ゴカク**の戦いをする。
22 違法**コウイ**が明らかになった。
23 専門家に**カンテイ**を依頼する。
24 今年の夏は**モウショ**が続いている。
25 駅前で**ハッポウ**事件が起きた。
26 外出先から家電を**セイギョ**する。
27 後輩たちに**モハン**を示す。
28 救護室でけがの**チリョウ**を受ける。
29 火口から**ヨウガン**が流出する。
30 **リンコク**との関係が改善する。
31 **フハイ**した食品を処分する。
32 理容店で**サンパツ**する。
33 胸の**コドウ**が速くなった。
34 男女**ケンヨウ**の上着を着る。

21 互角
22 行為
23 鑑定
24 猛暑
25 発砲
26 制御
27 模範
28 治療
29 溶岩
30 隣国
31 腐敗
32 散髪
33 鼓動
34 兼用

35 上司の判断を**アオ**ぐ。
36 **シバフ**に寝転がって休む。
37 床が**ミズビタ**しになった。
38 **トウゲ**を越えると海が見えた。
39 故郷を離れて**サビ**しさがつのる。
40 船で小さな島を**メグ**る。
41 **ツバサ**を広げて鳥がはばたく。
42 **コヨミ**の上では春になった。
43 コートについた雪を**ハラ**った。
44 客間にふとんを**シ**いた。
45 高い**ミネ**が連なっている。
46 急に**キリ**が立ち込めてきた。
47 息をゆっくり吸って**ハ**いた。
48 **トノサマ**が家来に命令する。

35 仰
36 芝生
37 水浸
38 峠
39 寂
40 巡
41 翼
42 暦
43 払
44 敷
45 峰
46 霧
47 吐
48 殿様

書き取り①

● 次の──線のカタカナを漢字に直せ。

1 失敗談もゴウカイに笑い飛ばす。
2 他人の問題にカイニュウする。
3 温かいはげましにカンルイする。
4 友人のケッコン式に出席する。
5 コウゴにボールを投げ合う。
6 世界記録をコウシンする。
7 過去の栄光をジマンげに話す。
8 食塩のスイヨウエキを作る。
9 有意義でノウミツな時間を過ごす。
10 犯した罪に相応するバツを受ける。

解答

1 豪快
2 介入
3 感涙
4 結婚
5 交互
6 更新
7 自慢
8 水溶液
9 濃密
10 罰

11 県境の峠をコえて隣の県に行った。
12 幼子がカタグルマをねだった。
13 友達が出演しているシバイを見た。
14 疲れていたので早めにネた。
15 世の中の不条理をナゲいた。
16 色ガラスをスかして向こうを見る。
17 朝から降る雨に客足がニブる。
18 事件のかぎをニギる人物が現れた。
19 イッピキのハエが飛んでいる。
20 家族総出でイネカりをした。

解答

11 越
12 肩車
13 芝居
14 寝
15 嘆
16 透
17 鈍
18 握
19 一匹
20 稲刈

21 手紙の**ヒッセキ**には見覚えがある。
22 別の疑惑が**フジョウ**する。
23 **イセイ**のいいかけ声が聞こえる。
24 **ミョウ**な胸騒ぎがする。
25 ねんざした足を**レイキャク**する。
26 郷土の**エイユウ**として語り継ぐ。
27 裁判官が和解**カンコク**をする。
28 **ロンシ**があいまいな文章だった。
29 山に囲まれた**ボンチ**に住む。
30 来訪者を熱烈に**カンゲイ**する。
31 欲張らず**ケンジツ**に暮らした。
32 話題になっている**マンガ**を読んだ。
33 建物の設備が**レッカ**する。
34 **エイリ**なナイフで板をけずる。

21 筆跡
22 浮上
23 威勢
24 妙
25 冷却
26 英雄
27 勧告
28 論旨
29 盆地
30 歓迎
31 堅実
32 漫画
33 劣化
34 鋭利

B 書き取り①

35 そっと物陰に身を**カク**した。
36 **イクタ**の試練が待ち受けていた。
37 **ク**ちることのない名声を得る。
38 会社をうらむのは**スジチガ**いだ。
39 駅に向かって全力で**カ**けていった。
40 砂場で砂山を**ホ**って遊ぶ。
41 **オソ**らく明日のイベントは中止だ。
42 **クサリ**のついた時計を持っている。
43 窓辺に色とりどりの花を**カザ**る。
44 鬼気**セマ**る演技が印象に残った。
45 **オウギ**を持って優雅に舞う。
46 子馬が楽しげに**ハ**ねている。
47 メッセージを**ソ**えた花束を贈る。
48 料理は**ウスアジ**のものが好きだ。

35 隠
36 幾多
37 朽
38 筋違
39 駆
40 掘
41 恐
42 鎖
43 飾
44 迫
45 扇
46 跳
47 添
48 薄味

書き取り②

目標時間 25分
合格ライン 34点
得点 ／48
月　日

●次の――線のカタカナを漢字に直せ。

1 タンネンにほころびをつくろった。
2 多額の賞金をカクトクする。
3 フンカした山から溶岩が流れ出す。
4 自分に都合よくカイシャクする。
5 厳かにギシキが執り行われる。
6 フクショクデザインを学ぶ。
7 選手たちは他の学校にエンセイした。
8 強いシガイセンから皮膚を守る。
9 夕暮れ空がシュに染まっていた。
10 工場のエントツが立ち並んでいる。

解答
1 丹念
2 獲得
3 噴火
4 解釈
5 儀式
6 服飾
7 遠征
8 紫外線
9 朱
10 煙突

11 たくみなうそにマドわされる。
12 故郷に帰って家業をツいだ。
13 大事な点をミノガしていた。
14 趣味と実益をカねた副業を持つ。
15 恐怖のあまり声がフルえた。
16 友達と並んでセタケを比べる。
17 受付が混雑する時間をサける。
18 冷蔵庫の野菜がクサる。
19 勉強にホンゴシを入れて取り組む。
20 怒りのホコサキを向けられる。

解答
11 惑
12 継
13 見逃
14 兼
15 震
16 背丈
17 避
18 腐
19 本腰
20 矛先

21 人間関係に**クノウ**する。
22 長い**サイゲツ**を共に過ごした。
23 優勝して**イチヤク**有名になった。
24 製品の**ショウサイ**な情報を知る。
25 今年を**ショウチョウ**する出来事だ。
26 転ばないように**シンチョウ**に歩く。
27 電子マネーが**フキュウ**する。
28 人々の反応に**ビンカン**になる。
29 国家の**ハンエイ**のために尽力する。
30 北上する台風に**ケイカイ**する。
31 **ジンジョウ**ではない事態となった。
32 寺の**ソウ**の法話を聞く。
33 **テッペキ**の守りで完勝した。
34 自信がなくて**ゴビ**をにごす。

21 苦悩
22 歳月
23 一躍
24 詳細
25 象徴
26 慎重
27 普及
28 敏感
29 繁栄
30 警戒
31 尋常
32 僧
33 鉄壁
34 語尾

35 **ダマ**ったまま返事をしない。
36 きゅうりの**オバナ**が咲いている。
37 ふるさとの**ホマ**れとたたえられる。
38 パワーでは**オト**るが技術がある。
39 ねたまれて**カゲグチ**をたたかれる。
40 **ウデダメ**しのつもりで参加した。
41 相手の体調を**キヅカ**う。
42 防御から**セ**めに転じた。
43 練習して**サラ**に技をみがいた。
44 戦時中の体験談を**ウカガ**った。
45 木立の中から**サワ**の音が聞こえた。
46 株価暴落で多大な損失を**コウム**る。
47 **カノジョ**は積極的で行動力がある。
48 朝になると**フブキ**はやんでいた。

35 黙
36 雄花
37 誉
38 劣
39 陰口
40 腕試
41 気遣
42 攻
43 更
44 伺
45 沢
46 被
47 彼女
48 吹雪

書き取り③

目標時間 25分

合格ライン 34点

得点 ／48

月　日

● 次の――線のカタカナを漢字に直せ。

1 フクザツな人間関係に悩まされる。
2 気体をアッシュクする。
3 二人の結婚をシュクフクする。
4 名画をモシャして絵の勉強をした。
5 知人のアンピが気遣われる。
6 カンラン席に座って応援する。
7 教わった方法をサッソク試す。
8 正式に国交をジュリツした。
9 説明不足でボケツを掘った。
10 悪をこらしめるツウカイな物語だ。

解答

1 複雑
2 圧縮
3 祝福
4 模写
5 安否
6 観覧
7 早速
8 樹立
9 墓穴
10 痛快

11 新たな人生のカドデだ。
12 友をウラギることなどできない。
13 しばらくカリの事務所に移る。
14 まずはおテナみ拝見といこう。
15 子が母のムナモトに飛び込んだ。
16 試合を前にして闘志をモやす。
17 あれもこれもとヨクバる。
18 ほめられてテれた表情を見せる。
19 イサんで現地におもむいた。
20 このままだと記録更新はアヤうい。

解答

11 門出
12 裏切
13 仮
14 手並
15 胸元
16 燃
17 欲張
18 照
19 勇
20 危

21 あと三十分**テイド**で到着する。
22 **ホウフ**な水産資源を生かす。
23 結論を**ホリュウ**にした。
24 **ダンペン**的な記憶をたどる。
25 母は**キョウリ**で暮らしている。
26 多くの**チョサク**がある研究者だ。
27 寺の**ケイダイ**に桜の老木がある。
28 大都市は人口が**カミツ**状態だ。
29 **リンジ**のアルバイトとして働く。
30 神の**ケシン**としてあがめられる。
31 高層ビルの**ケンチク**が始まった。
32 会長**シュウニン**のあいさつをする。
33 **ジュクレン**の技を見せる。
34 役員の**ケンゲン**を明確にする。

21 程度
22 豊富
23 保留
24 断片
25 郷里
26 著作
27 境内
28 過密
29 臨時
30 化身
31 建築
32 就任
33 熟練
34 権限

35 この辺りは漁業が**サカ**んな地域だ。
36 家では**メガネ**をかけている。
37 式典は**オゴソ**かに進められた。
38 鳥の声が春の**オトズ**れを告げる。
39 我が子に深い愛情を**ソソ**ぐ。
40 **ヒタイ**にはちまきを巻いている。
41 ずさんな管理が事故を**マネ**いた。
42 体験に**モト**づいた話は参考になる。
43 商品に付いた**ネフダ**を見る。
44 浜辺で貝がらを**ヒロ**い集める。
45 皆の応援に**メガシラ**を熱くした。
46 母の日に**ハナタバ**を贈る。
47 学習の**ココロガマ**えを説く。
48 知らなかったでは**ス**まされない。

35 盛
36 眼鏡
37 厳
38 訪
39 注
40 額
41 招
42 基
43 値札
44 拾
45 目頭
46 花束
47 心構
48 済

書き取り④

目標時間 25分

合格ライン 34点

得点 ／48

月　日

● 次の――線のカタカナを漢字に直せ。

1 海外への**ユソウ**費がかかる。
2 **ソウリツ**記念日は休校となる。
3 自分の作品を**ヒヒョウ**される。
4 **カゲキ**な言動にはついていけない。
5 冬に向けて食料を**チョゾウ**する。
6 医学の**ハッテン**に寄与した。
7 得々と**ベンゼツ**を振るう。
8 今日は駅の**コンザツ**がひどい。
9 各地の祭りの**ユライ**を調べる。
10 **キンベン**な仕事ぶりで信頼される。

解答

1 輸送
2 創立
3 批評
4 過激
5 貯蔵
6 発展
7 弁舌
8 混雑
9 由来
10 勤勉

11 不誠実な友人を**ミカギ**る。
12 二国間の友好関係を**タモ**つ。
13 日が**ク**れるまでに仕事を終える。
14 生徒たちに卒業証書を**サズ**ける。
15 耐久性に**スグ**れた素材だ。
16 牛馬を使って田を**タガヤ**した。
17 **クダ**に穴が空いて空気がもれる。
18 木の下で**アマヤド**りをした。
19 **オ**いた愛犬の世話をする。
20 堅固な城が**キズ**かれた。

解答

11 見限
12 保
13 暮
14 授
15 優
16 耕
17 管
18 雨宿
19 老
20 築

21 坂の途中で**コキュウ**が荒くなる。
22 **イッサイ**の責任を引き受ける。
23 調査結果を**カンケツ**に説明する。
24 押し入れに家具を**シュウノウ**する。
25 **ツウヤク**を介して会話する。
26 伝統産業の後継者を**イクセイ**する。
27 山村留学で**キチョウ**な体験をした。
28 **ミンシュウ**が圧政に苦しむ。
29 **コショウ**したテレビを修理に出す。
30 水中の汚染物質を**ジョキョ**する。
31 合図があるまで**タイキ**する。
32 異文化交流をして**シヤ**を広げる。
33 力士が**ドヒョウ**に上がる。
34 町おこしの事業を**スイシン**する。

21 呼吸
22 一切
23 簡潔
24 収納
25 通訳
26 育成
27 貴重
28 民衆
29 故障
30 除去
31 待機
32 視野
33 土俵
34 推進

---

35 **キヌ**のような光沢のある生地だ。
36 人生の**フシメ**を迎える。
37 新しいおもちゃが**ホ**しいとねだる。
38 突然の悲報に心が**ミダ**れる。
39 **ウラニワ**の木に巣箱をかける。
40 あらぬ**ウタガ**いをかけられる。
41 時代は**タ**え間なく変化する。
42 年末年始を**ノゾ**いて毎日営業する。
43 白いハトを大空に**ハナ**った。
44 むだを**ハブ**いて効率化する。
45 **ホ**したイカを焼いて食べる。
46 南米で**モット**も高い山に登った。
47 仕事が手につかなくて**コマ**る。
48 古い時計のぜんまいを**マ**く。

35 絹
36 節目
37 欲
38 乱
39 裏庭
40 疑
41 絶
42 除
43 放
44 省
45 干
46 最
47 困
48 巻

書き取り⑤

●次の――線のカタカナを漢字に直せ。

1 勉強会に**コウシ**として招かれる。
2 屋上に出ると**シカイ**が広がった。
3 **ドクゼツ**を吐いて相手を怒らせる。
4 新しい知識を**キュウシュウ**する。
5 生活費の**セツヤク**に努める。
6 海岸にはごみが**サンラン**していた。
7 月別の販売数の**トウケイ**をとる。
8 誠実な人柄に**コウカン**を抱く。
9 大雨で交通網が**スンダン**される。
10 過激な発言が**サンピ**を呼んだ。

解答

1 講師
2 視界
3 毒舌
4 吸収
5 節約
6 散乱
7 統計
8 好感
9 寸断
10 賛否

11 **スジミチ**のたった説明をする。
12 新人が**メザ**ましい活躍をした。
13 学業を終えて親元から**スダ**つ。
14 門は固く**ト**ざされたままだ。
15 **イ**た矢が的の中心に刺さる。
16 木の**ウツワ**に料理を盛り付ける。
17 本の**オビ**の宣伝文句を考える。
18 **カイコ**がくわの葉を食べている。
19 いちばん前の席に**スワ**った。
20 青い毛糸でセーターを**ア**む。

解答

11 筋道
12 目覚
13 巣立
14 閉
15 射
16 器
17 帯
18 蚕
19 座
20 編

21 雑誌の**センゾク**記者となる。
22 ピンチの時に**コンジョウ**を見せた。
23 ガイドの**センドウ**で山歩きをした。
24 たくみな**ワジュツ**で人をだます。
25 期限までに**ノウゼイ**する。
26 飛行機の**ソウジュウ**をする。
27 地域住民の**ショメイ**を集める。
28 日本一という**ヒガン**を達成した。
29 失敗した**ヨウイン**を突き止める。
30 全体的な状況を**スイサツ**する。
31 夏休みの**ホシュウ**を受ける。
32 駅前に自転車が**ホウチ**されている。
33 豊かな観光**シゲン**をアピールする。
34 学校教育と**ミッセツ**に関わる。

21 専属
22 根性
23 先導
24 話術
25 納税
26 操縦
27 署名
28 悲願
29 要因
30 推察
31 補習
32 放置
33 資源
34 密接

35 優しい言葉に心が**スク**われた。
36 十分に作戦を**ネ**って試合に臨む。
37 気合いが**カラマワ**りしてしまった。
38 山々が**ツラ**なっている。
39 非難の集中砲火を**ア**びせる。
40 馬が急に**アバ**れ出した。
41 **キズグチ**を流水で洗った。
42 商品がヒットした理由を**サグ**る。
43 白髪が増えた髪を黒く**ソ**める。
44 **タビカサ**なる事故に注意する。
45 木の**ミキ**を引っかいた跡がある。
46 聞きしに**マサ**る美しさだった。
47 川に**ソ**って桜が植えられている。
48 糸をつむいで布を**オ**った。

35 救
36 練
37 空回
38 連
39 浴
40 暴
41 傷口
42 探
43 染
44 度重
45 幹
46 勝
47 沿
48 織

Cランク 書き取り①

目標時間 25分
合格ライン 34点
得点 ／48 月 日

● 次の――線のカタカナを漢字に直せ。

1 生徒を**インソツ**して博物館に行く。
2 プロジェクトも最終**ダンカイ**だ。
3 **ゴクヒ**の命令が下った。
4 **カセン**の堤防を補修する。
5 東京を**ケイユ**して地方に行った。
6 旅行にかかる**ヒヨウ**を計算する。
7 恩師の家を**ホウモン**する。
8 国民としての**ギム**を果たす。
9 記念式典に**ショウタイ**される。
10 被災地の**フッキュウ**作業を急ぐ。

解答
1 引率
2 段階
3 極秘
4 河川
5 経由
6 費用
7 訪問
8 義務
9 招待
10 復旧

11 屋根から雨の滴が**タ**れる。
12 強敵を前にして**フル**い立つ。
13 思わず**ホンネ**をもらした。
14 案内人に**ミチビ**かれて館内に入る。
15 **ワレサキ**にと出口に向かった。
16 マニュアルに**シタガ**って行動する。
17 隣人は犬を数匹**カ**っている。
18 夕日が家々を**クレナイ**に染めた。
19 プールで**セオヨ**ぎの練習をする。
20 山の**イタダキ**は雲の上だ。

解答
11 垂
12 奮
13 本音
14 導
15 我先
16 従
17 飼
18 紅
19 背泳
20 頂

21 **センメン**器に水を張った。
22 家を探すのは**ヨウイ**ではなかった。
23 プリンターで文書を**インサツ**する。
24 バザーの**シュウエキ**金を寄付する。
25 ギターとピアノで**ガッソウ**する。
26 価格**キョウソウ**が激化する。
27 バスの**シャソウ**から景色を見る。
28 結果よりも過程を**ジュウシ**する。
29 前置きを**ショウリャク**する。
30 子供が生まれて家を**ゾウチク**した。
31 礼儀を欠いた**タイド**を注意する。
32 父母会で広報係を**タントウ**する。
33 危険な状況であると**ニンシキ**する。
34 今後の運営について**トウギ**した。

21 洗面
22 容易
23 印刷
24 収益
25 合奏
26 競争
27 車窓
28 重視
29 省略
30 増築
31 態度
32 担当
33 認識
34 討議

35 体が**ワタ**のように疲れる。
36 無力だった自分を**ナサ**けなく思う。
37 心の**マヨ**いを見透かされた。
38 米の入った**タワラ**を積んだ。
39 **ノゾ**まれて運営メンバーに加わる。
40 **テシオ**にかけて育てた野菜だ。
41 並んでいる列に**ワ**って入った。
42 子供から**カタトキ**も目が離せない。
43 行き届いた**キクバ**りに感心する。
44 友人ではなく他人の**ソラニ**だった。
45 レモンを**ワギ**りにする。
46 父親から**キビ**しくしかられた。
47 **チノ**み子を抱えながら仕事をする。
48 コートをクロークに**アズ**ける。

35 綿
36 情
37 迷
38 俵
39 望
40 手塩
41 割
42 片時
43 気配
44 空似
45 輪切
46 厳
47 乳飲
48 預

書き取り②

目標時間 25分

合格ライン 34点

得点 ／48 月 日

● 次の――線の**カタカナ**を**漢字**に直せ。

1 住民の**ボウハン**意識を高める。
2 **コウカ**的な練習法を考える。
3 皆で出し合った案を**ケントウ**する。
4 **コウテツ**でできた重い門が開く。
5 趣味は切手の**シュウシュウ**である。
6 会社を辞めて画業に**センネン**する。
7 新聞の**チョウカン**を配達する。
8 **ミッペイ**容器に入れて保存する。
9 手続きを**カンベン**にする。
10 自然環境に**テキオウ**する。

解答

1 防犯
2 効果
3 検討
4 鋼鉄
5 収集
6 専念
7 朝刊
8 密閉
9 簡便
10 適応

11 **キワ**めて困難な状況となった。
12 **コト**なる視点から物事を見直す。
13 祭りの会場で**マイゴ**になった。
14 定期大会の議長を**ツト**める。
15 娘夫婦に店を**マカ**せる。
16 仕事を**ヨロコ**んで引き受ける。
17 霧が晴れて山々が**スガタ**を現した。
18 失敗を認めて素直に**アヤマ**る。
19 アルバイトで人手不足を**オギナ**う。
20 **ハゲ**しい争いが続いている。

解答

11 極
12 異
13 迷子
14 務
15 任
16 喜
17 姿
18 謝
19 補
20 激

21 **ムチュウ**になって本を読む。
22 外国との**ボウエキ**で財を成す。
23 ガラスの**ハヘン**が散らばっていた。
24 上層部を厳しく**ヒハン**する。
25 **キンロウ**意欲が著しく低下する。
26 地道に**センデン**活動を続けた。
27 選手にコーチが**シドウ**する。
28 町の**ケイカン**を守る努力をする。
29 作家が**タンペン**小説を著す。
30 **ウチュウ**からの地球の映像を見る。
31 立ち入り禁止**クイキ**を拡大する。
32 平日なので**ツウジョウ**料金だ。
33 **エンゲキ**部に所属している。
34 長期的な需要を**ヨソク**する。

21 夢中
22 貿易
23 破片
24 批判
25 勤労
26 宣伝
27 指導
28 景観
29 短編
30 宇宙
31 区域
32 通常
33 演劇
34 予測

35 美しい**ハナゾノ**を訪れた。
36 相続の相談窓口を**モウ**ける。
37 戦地で**ユクエ**不明となった。
38 いかなる時も**ヨワネ**を吐かない。
39 代金を現金**カキトメ**で送った。
40 心に深い**キズ**を負う。
41 美術の時間に版画を**ス**った。
42 友とは味の**コノ**みが似ている。
43 旅の**ミヤゲ**を持って友人を訪ねる。
44 渡り鳥の**ム**れが飛んでいく。
45 体重計の**メモ**りを注視する。
46 手を合わせて一心に**オガ**む。
47 親の期待に**ソム**いたことをくやむ。
48 イチョウの**ナミキ**が続いている。

35 花園
36 設
37 行方
38 弱音
39 書留
40 傷
41 刷
42 好
43 土産
44 群
45 目盛
46 拝
47 背
48 並木

C ランク

書き取り③

目標時間 25分

合格ライン 34点

得点 ／48

月　日

● 次の——線のカタカナを漢字に直せ。

1 美術大学への進学を**シボウ**する。
2 伝統的な技術を**オウヨウ**する。
3 **ユイゴン**書を作成した。
4 **メンミツ**な作業計画を立てる。
5 **キケン**な場所には近づかない。
6 財政の建て直しが**キュウム**だ。
7 母は**ザイタク**で仕事をしている。
8 会議の時間を**タンシュク**する。
9 事件は**メイキュウ**入りとなった。
10 アゲハチョウの**ウカ**を観察した。

解答
1 志望
2 応用
3 遺言
4 綿密
5 危険
6 急務
7 在宅
8 短縮
9 迷宮
10 羽化

11 アスリートの**スガオ**を紹介する。
12 澄んだ笛の**ネイロ**に耳を傾ける。
13 親が子供に見本を**シメ**す。
14 郷里の母から**コヅツミ**が届いた。
15 **アオナ**をゆでておひたしを作る。
16 ホテルの近くの**ウミベ**を散策する。
17 大きな役割を**ハ**たしている。
18 名前の**カシラ**文字でサインする。
19 **マズ**しい暮らしに耐える。
20 先生の**ヤサ**しさが心にしみた。

解答
11 素顔
12 音色
13 示
14 小包
15 青菜
16 海辺
17 果
18 頭
19 貧
20 優

21 **サイガイ**が起きた場合に備える。
22 バスの**ウンチン**を支払った。
23 プロジェクトへの参加を**ジタイ**する。
24 落雷により一帯が**テイデン**となる。
25 屋上に巨大な**カンバン**を設置する。
26 他国の動向を**チュウシ**する。
27 本番では実力を**ハッキ**できた。
28 早寝早起きを**シュウカン**づける。
29 **ジュモク**が葉を広げている。
30 ケーキを**キントウ**に切り分ける。
31 身の**ケッパク**を証明した。
32 他国との**リョウド**問題が再燃する。
33 **ハン**で押したような毎日を送る。
34 人前で話すのは**トクイ**ではない。

21 災害
22 運賃
23 辞退
24 停電
25 看板
26 注視
27 発揮
28 習慣
29 樹木
30 均等
31 潔白
32 領土
33 判
34 得意

35 資産が**メベ**りするリスクがある。
36 実家は食堂を**イトナ**んでいる。
37 支出の**ウチワケ**を細かく記す。
38 ワンピースの**カタガミ**を作る。
39 客を**テアツ**くもてなした。
40 祖母は**イナカ**で暮らしている。
41 これまでの努力が**ムク**われた。
42 有能な若者に期待を**ヨ**せる。
43 夕日が**コガネ**のように輝く。
44 セールで大幅に**ネビ**きされた。
45 何もできなかった自分を**セ**めた。
46 勝利の喜びが**マサユメ**となった。
47 **ケワ**しい表情をしている。
48 **フルキズ**を抱えながらも健闘する。

35 目減
36 営
37 内訳
38 型紙
39 手厚
40 田舎
41 報
42 寄
43 黄金
44 値引
45 責
46 正夢
47 険
48 古傷

配当漢字表（50音順）

4級の配当漢字を50音順に並べました。各漢字の下に読み方と本文での掲載ページを載せています。カタカナは音読み、ひらがなは訓読み、( )内は送りがなです。★の付いた音訓は高校で習う読みです。

握	アク・にぎ(る)	P.17
扱	あつか(う)	P.33
依	イ・エ★	P.28
威	イ	P.12
為	イ	P.28
偉	イ・えら(い)	P.16
違	イ・ちが(う)・ちが(える)	P.16
維	イ	P.28
緯	イ	P.41
壱	イチ	P.52
芋	いも	P.28
陰	イン・かげ・かげ(る)	P.41
隠	イン・かく(す)・かく(れる)	P.21
影	エイ・かげ	P.48
鋭	エイ・するど(い)	P.13
越	エツ・こ(す)・こ(える)	P.37
援	エン	P.13
煙	エン・けむ(る)・けむり・けむ(い)	P.28
鉛	エン・なまり	P.33
縁	エン・ふち	P.41
汚	オ・けが(す)★・けが(れる)★・けが(らわしい)★・よご(す)・よご(れる)・きたな(い)	P.13
押	オウ★・お(す)・お(さえる)	P.52
奥	オウ★・おく	P.33
憶	オク	P.21
菓	カ	P.52
暇	カ・ひま	P.12
箇	カ	P.28
雅	ガ	P.33
介	カイ	P.17
戒	カイ・いまし(める)	P.28
皆	カイ・みな	P.41
壊	カイ・こわ(す)・こわ(れる)	P.17
較	カク	P.48
獲	カク・え(る)	P.13
刈	か(る)	P.36
甘	カン・あま(い)・あま(える)・あま(やかす)	P.21
汗	カン・あせ	P.20
乾	カン・かわ(く)・かわ(かす)	P.21
勧	カン・すす(める)	P.36
歓	カン	P.28
監	カン	P.21
環	カン	P.52
鑑	カン・かんが(みる)★	P.53
含	ガン・ふく(む)・ふく(める)	P.20
奇	キ	P.20
祈	キ・いの(る)	P.28
鬼	キ・おに	P.41
幾	キ・いく	P.28
輝	キ・かがや(く)	P.21
儀	ギ	P.16
戯	ギ・たわむ(れる)★	P.36
詰	キツ★・つ(める)・つ(まる)・つ(む)	P.41
却	キャク	P.24
脚	キャク・キャ★・あし	P.12
及	キュウ・およ(ぶ)・およ(び)・およ(ぼす)	P.20
丘	キュウ・おか	P.41
朽	キュウ・く(ちる)	P.20
巨	キョ	P.41
拠	キョ・コ	P.16
距	キョ	P.36
御	ギョ・ゴ・おん	P.49
凶	キョウ	P.48
叫	キョウ・さけ(ぶ)	P.36
狂	キョウ・くる(う)・くる(おしい)	P.53
況	キョウ	P.13
狭	キョウ★・せま(い)・せば(める)・せば(まる)	P.36
恐	キョウ・おそ(れる)・おそ(ろしい)	P.28
響	キョウ・ひび(く)	P.24
驚	キョウ・おどろ(く)・おどろ(かす)	P.41
仰	ギョウ・コウ・あお(ぐ)・おお(せ)★	P.20
駆	ク・か(ける)・か(る)	P.16
屈	クツ	P.12
掘	クツ・ほ(る)	P.24

繰	く(る)	P.48
恵	ケイ・エ めぐ(む)	P.20
傾	ケイ かたむ(く)・かたむ(ける)	P.12
継	ケイ つ(ぐ)	P.29
迎	ゲイ むか(える)	P.29
撃	ゲキ う(つ)	P.29
肩	ケン★ かた	P.48
兼	ケン か(ねる)	P.36
剣	ケン つるぎ	P.48
軒	ケン のき	P.41
圏	ケン	P.41
堅	ケン かた(い)	P.20
遣	ケン つか(う)・つか(わす)	P.24
玄	ゲン	P.41
枯	コ か(れる)・か(らす)	P.29
誇	コ ほこ(る)	P.20
鼓	コ つづみ★	P.29
互	ゴ たが(い)	P.36
抗	コウ	P.53
攻	コウ せ(める)	P.44
更	コウ さら・ふ(ける)★・ふ(かす)★	P.44
恒	コウ	P.20
荒	コウ あら(い)・あ(れる)・あ(らす)	P.49
項	コウ	P.49
稿	コウ	P.24
豪	ゴウ	P.29
込	こ(む)・こ(める)	P.44
婚	コン	P.49
鎖	サ くさり	P.24
彩	サイ いろど(る)★	P.44
歳	サイ・セイ	P.49
載	サイ の(せる)・の(る)	P.16
剤	ザイ	P.49
咲	さ(く)	P.53
惨	サン・ザン★ みじ(め)★	P.36
旨	シ むね★	P.36
伺	シ★ うかが(う)	P.44
刺	シ さ(す)・さ(さる)	P.29
脂	シ あぶら	P.29
紫	シ むらさき	P.44
雌	シ め・めす	P.49
執	シツ・シュウ と(る)	P.29
芝	しば	P.49
斜	シャ なな(め)	P.20
煮	シャ★ に(る)・に(える)・に(やす)	P.49
釈	シャク	P.45
寂	ジャク・セキ★ さび・さび(しい)・さび(れる)	P.16
朱	シュ	P.44
狩	シュ か(る)・か(り)	P.49
趣	シュ おもむき	P.29
需	ジュ	P.29
舟	シュウ ふね・ふな	P.53
秀	シュウ ひい(でる)★	P.44
襲	シュウ おそ(う)	P.13
柔	ジュウ・ニュウ やわ(らか)・やわ(らかい)	P.44
獣	ジュウ けもの	P.44
瞬	シュン またた(く)★	P.44
旬	ジュン・シュン	P.29
巡	ジュン めぐ(る)	P.13
盾	ジュン たて	P.24
召	ショウ め(す)	P.36
床	ショウ とこ・ゆか	P.29
沼	ショウ★ ぬま	P.45
称	ショウ	P.29
紹	ショウ	P.49
詳	ショウ くわ(しい)	P.12
丈	ジョウ たけ	P.36
畳	ジョウ たた(む)・たたみ	P.49
殖	ショク ふ(える)・ふ(やす)	P.20
飾	ショク かざ(る)	P.13
触	ショク ふ(れる)・さわ(る)	P.16
侵	シン おか(す)	P.37
振	シン ふ(る)・ふ(るう)・ふ(れる)	P.49
浸	シン ひた(す)・ひた(る)	P.29
寝	シン ね(る)・ね(かす)	P.16
慎	シン つつし(む)	P.24
震	シン ふる(う)・ふる(える)	P.37
薪	シン たきぎ	P.53
尽	ジン つ(くす)・つ(きる)・つ(かす)	P.37
陣	ジン	P.53
尋	ジン たず(ねる)	P.29
吹	スイ ふ(く)	P.45
是	ゼ	P.45
姓	セイ・ショウ	P.49
征	セイ	P.32
跡	セキ あと	P.37
占	セン し(める)・うらな(う)	P.24
扇	セン おうぎ	P.53
鮮	セン あざ(やか)	P.16
訴	ソ うった(える)	P.37
僧	ソウ	P.53
燥	ソウ	P.37
騒	ソウ さわ(ぐ)	P.13
贈	ゾウ・ソウ おく(る)	P.49
即	ソク	P.24

俗	ゾク	P.53
耐	タイ・た(える)	P.13
替	タイ・か(える)・か(わる)	P.37
沢	タク・さわ	P.45
拓	タク	P.24
濁	ダク・にご(る)・にご(す)	P.32
脱	ダツ・ぬ(ぐ)・ぬ(げる)	P.13
丹	タン	P.45
淡	タン・あわ(い)	P.32
嘆	タン・なげ(く)・なげ(かわしい)	P.37
端	タン・はし・は★・はた	P.37
弾	ダン・ひ(く)・はず(む)・たま	P.16
恥	チ・は(じる)・はじ・は(じらう)・は(ずかしい)	P.49
致	チ・いた(す)	P.24
遅	チ・おく(れる)・おく(らす)・おそ(い)	P.32
蓄	チク・たくわ(える)	P.25
跳	チョウ・は(ねる)・と(ぶ)	P.45
徴	チョウ	P.37
澄	チョウ★・す(む)・す(ます)	P.37
沈	チン・しず(む)・しず(める)	P.21
珍	チン・めずら(しい)	P.37
抵	テイ	P.37
堤	テイ・つつみ	P.45
摘	テキ・つ(む)	P.17
滴	テキ・しずく・したた(る)★	P.45
添	テン・そ(える)・そ(う)	P.21
殿	デン・テン・との・どの	P.45
吐	ト・は(く)	P.25
途	ト	P.13
渡	ト・わた(る)・わた(す)	P.17
奴	ド	P.53
怒	ド・いか(る)・おこ(る)	P.45
到	トウ	P.37
逃	トウ・に(げる)・に(がす)・のが(す)・のが(れる)	P.17
倒	トウ・たお(れる)・たお(す)	P.32
唐	トウ・から	P.45
桃	トウ・もも	P.53
透	トウ・す(く)・す(かす)・す(ける)	P.13
盗	トウ・ぬす(む)	P.37
塔	トウ	P.49
稲	トウ・いね・いな	P.40
踏	トウ・ふ(む)・ふ(まえる)	P.48
闘	トウ・たたか(う)	P.40
胴	ドウ	P.40
峠	とうげ	P.40
突	トツ・つ(く)	P.17
鈍	ドン・にぶ(い)・にぶ(る)	P.13
曇	ドン・くも(る)	P.45
弐	ニ	P.53
悩	ノウ・なや(む)・なや(ます)	P.32
濃	ノウ・こ(い)	P.12
杯	ハイ・さかずき	P.45
輩	ハイ	P.32
拍	ハク・ヒョウ	P.25
泊	ハク・と(まる)・と(める)	P.25
迫	ハク・せま(る)	P.12
薄	ハク・うす(い)・うす(める)・うす(まる)・うす(らぐ)・うす(れる)	P.12
爆	バク	P.52
髪	ハツ・かみ	P.40
抜	バツ・ぬ(く)・ぬ(ける)・ぬ(かす)・ぬ(かる)	P.25
罰	バツ・バチ	P.52
般	ハン	P.53
販	ハン	P.32
搬	ハン	P.40
範	ハン	P.17
繁	ハン	P.25
盤	バン	P.32
彼	ヒ・かれ・かの	P.40
疲	ヒ・つか(れる)	P.45
被	ヒ・こうむ(る)	P.32
避	ヒ・さ(ける)	P.13
尾	ビ・お	P.44
微	ビ	P.32
匹	ヒツ・ひき	P.32
描	ビョウ・えが(く)・か(く)	P.33
浜	ヒン・はま	P.45
敏	ビン	P.17
怖	フ・こわ(い)	P.21
浮	フ・う(く)・う(かれる)・う(かぶ)・う(かべる)	P.33
普	フ	P.48
腐	フ・くさ(る)・くさ(れる)・くさ(らす)	P.21
敷	フ★・し(く)	P.45
膚	フ	P.40
賦	フ	P.53
舞	ブ・ま(う)・まい	P.17
幅	フク・はば	P.40
払	フツ★・はら(う)	P.40
噴	フン・ふ(く)	P.25
柄	ヘイ★・がら・え	P.40
壁	ヘキ・かべ	P.25

捕	ホ と(らえる)・と(らわれる)・と(る)・つか(まえる)・つか(まる)	P.33
舗	ホ	P.25
抱	ホウ だ(く)・いだ(く)・かか(える)	P.33
峰	ホウ みね	P.33
砲	ホウ	P.52
忙	ボウ いそが(しい)	P.21
坊	ボウ・ボッ	P.48
肪	ボウ	P.52
冒	ボウ おか(す)	P.21
傍	ボウ かたわ(ら)★	P.17
帽	ボウ	P.52
凡	ボン・ハン★	P.25
盆	ボン	P.48
慢	マン	P.33
漫	マン	P.33
妙	ミョウ	P.17
眠	ミン ねむ(る)・ねむ(い)	P.33
矛	ム ほこ	P.33
霧	ム きり	P.21
娘	むすめ	P.52
茂	モ しげ(る)	P.25
猛	モウ	P.17
網	モウ あみ	P.33
黙	モク だま(る)	P.12
紋	モン	P.21
躍	ヤク おど(る)	P.21
雄	ユウ お・おす	P.13
与	ヨ あた(える)	P.33
誉	ヨ ほま(れ)	P.25
溶	ヨウ と(ける)・と(かす)・と(く)	P.25
腰	ヨウ★ こし	P.52
踊	ヨウ おど(る)・おど(り)	P.40
謡	ヨウ うたい★・うた(う)★	P.33
翼	ヨク つばさ	P.45
雷	ライ かみなり	P.48
頼	ライ たの(む)・たの(もしい)・たよ(る)	P.12
絡	ラク から(む)★・から(まる)★・から(める)★	P.41
欄	ラン	P.52
離	リ はな(れる)・はな(す)	P.17
粒	リュウ つぶ	P.25
慮	リョ	P.21
療	リョウ	P.25
隣	リン とな(る)・となり	P.48
涙	ルイ なみだ	P.17
隷	レイ	P.53
齢	レイ	P.49
麗	レイ うるわ(しい)★	P.41
暦	レキ こよみ	P.41
劣	レツ おと(る)	P.25
烈	レツ	P.17
恋	レン こ(う)・こい・こい(しい)	P.41
露	ロ・ロウ つゆ	P.16
郎	ロウ	P.53
惑	ワク まど(う)	P.12
腕	ワン うで	P.28

熟字訓・当て字

小学校・中学校で習う熟字訓・当て字の中で、気をつけておきたいものを載せました。確認しておきましょう。

小豆	あずき
意気地	いくじ
田舎	いなか
海原	うなばら
乳母	うば
浮つく	うわつく
笑顔	えがお
お巡りさん	おまわりさん
仮名	かな
為替	かわせ
河原・川原	かわら
果物	くだもの
今朝	けさ
景色	けしき
心地	ここち
今年	ことし
差し支える	さしつかえる
五月	さつき
五月雨	さみだれ
時雨	しぐれ
竹刀	しない
老舗	しにせ
芝生	しばふ
清水	しみず
三味線	しゃみせん
砂利	じゃり
上手	じょうず
白髪	しらが
太刀	たち
立ち退く	たちのく
七夕	たなばた
梅雨	つゆ
手伝う	てつだう
時計	とけい
名残	なごり
博士	はかせ
二十・二十歳	はたち
二十日	はつか
波止場	はとば
日和	ひより
吹雪	ふぶき
下手	へた
部屋	へや
迷子	まいご
真面目	まじめ
真っ赤	まっか
真っ青	まっさお
土産	みやげ
息子	むすこ
眼鏡	めがね
紅葉	もみじ
木綿	もめん
最寄り	もより
八百屋	やおや
大和	やまと
行方	ゆくえ
若人	わこうど

特別な読みの用例

小学校・中学校で習う特別な読みの中で、気をつけておきたい読みの用例を載せました。なお、特別な読み以外にも読み方がある場合には、（　）をつけて記載しています。

雨戸	あまど
一切	いっさい
稲作	いなさく
街道	かいどう
風車	かざぐるま
金物	かなもの
彼女	かのじょ
神主	かんぬし
寄贈	きそう（きぞう）
句読点	くとうてん
工夫	くふう
境内	けいだい
夏至	げし
仮病	けびょう
黄金	こがね
石高	こくだか
木立	こだち
声色	こわいろ
今昔	こんじゃく
財布	さいふ
早急	さっきゅう
早速	さっそく
参内	さんだい
支度	したく
修行	しゅぎょう
旬	しゅん
精進	しょうじん
小児科	しょうにか
静脈	じょうみゃく
真紅・深紅	しんく
信仰	しんこう
出納	すいとう
歳暮	せいぼ
大豆	だいず
内裏	だいり
手繰る	たぐる
反物	たんもの
弟子	でし
天井	てんじょう
納豆	なっとう
納得	なっとく
仁王	におう
暴露	ばくろ
拍子	ひょうし
夫婦	ふうふ
不精	ぶしょう
舟歌	ふなうた
坊ちゃん	ぼっちゃん
明星	みょうじょう
胸板	むないた
胸騒ぎ	むなさわぎ
面目	めんぼく（めんもく）
遺言	ゆいごん（いごん）

中学校で習う読み

小学校の学習漢字の中で、中学校で習う読み方を一覧表にまとめました。カタカナは音読み、ひらがなは訓読み、（ ）内は送りがなを示しています。

小一

音	イン
下	もと
字	あざ
耳	ジ
手	た
出	スイ
女	ニョ　め
上	のぼ(せる)　のぼ(す)
生	お(う)　き
夕	セキ
石	コク
川	セン
早	サッ
文	ふみ
目	ボク

小二

羽	ウ
園	その
何	カ
夏	ゲ
外	ゲ
弓	キュウ
京	ケイ
強	ゴウ　し(いる)
兄	ケイ
後	おく(れる)
公	おおやけ
交	か(う)　か(わす)
黄	コウ　こ
谷	コク
今	キン
姉	シ
室	むろ
図	はか(る)
声	こわ
星	ショウ
切	サイ
体	テイ
茶	サ
弟	テイ　デ
頭	かしら
内	ダイ
麦	バク
歩	ブ
妹	マイ
万	バン
門	かど
来	きた(る)　きた(す)

小三

化	ケ
荷	カ
客	カク
究	きわ(める)
宮	グウ
業	わざ
軽	かろ(やか)
研	と(ぐ)
幸	さち
次	シ
守	も(り)
州	す
拾	シュウ　ジュウ
集	つど(う)
助	すけ
商	あきな(う)
勝	まさ(る)
申	シン
神	かん
昔	シャク
相	ショウ
速	すみ(やか)
対	ツイ
代	しろ
丁	テイ
調	ととの(う)　ととの(える)
度	タク　たび
童	わらべ
発	ホツ
反	タン
鼻	ビ
病	や(む)
命	ミョウ
面	おも　おもて
役	エキ
有	ウ
和	やわ(らぐ)・やわ(らげる)・なご(む)・なご(やか)

小四

衣	ころも
媛	エン
街	カイ
岐	キ
器	うつわ
機	はた
泣	キュウ
競	きそ(う)

極	ゴク／きわ(める)・きわ(まる)・きわ(み)
結	ゆ(う) ゆ(わえる)
健	すこ(やか)
香	コウ
氏	うじ
試	ため(す)
児	ニ
滋	ジ
辞	や(める)
初	そ(める)
笑	ショウ え(む)
焼	ショウ
縄	ジョウ
井	ショウ
省	かえり(みる)
静	ジョウ
浅	セン
戦	いくさ
仲	チュウ
阪	ハン
夫	フウ
望	モウ
牧	まき
民	たみ
要	い(る)
小五	
仮	ケ
眼	まなこ
基	もと
技	わざ
境	ケイ
経	キョウ
故	ゆえ
厚	コウ
災	わざわ(い)
財	サイ
示	シ
似	ジ
質	シチ
謝	あやま(る)
授	さず(ける) さず(かる)
修	シュ
性	ショウ
精	ショウ
素	ス
率	ソツ
損	そこ(なう) そこ(ねる)
貸	タイ
断	た(つ)
提	さ(げる)
程	ほど
得	う(る)
犯	おか(す)
費	つい(やす) つい(える)
貧	ヒン
報	むく(いる)
暴	バク
迷	メイ
小六	
遺	ユイ
映	は(える)
我	ガ わ
灰	カイ
革	かわ
割	カツ さ(く)
干	ひ(る)
危	あや(うい) あや(ぶむ)
机	キ
貴	たっと(い)・とうと(い)・たっと(ぶ)・とうと(ぶ)
胸	むな
郷	ゴウ
穴	ケツ
厳	おごそ(か)
己	キ おのれ
紅	ク くれない
鋼	はがね
砂	シャ
座	すわ(る)
裁	た(つ)
若	ジャク
宗	ソウ
就	つ(く) つ(ける)
熟	う(れる)
除	ジ
承	うけたまわ(る)
傷	いた(む) いた(める)
蒸	む(す) む(れる) む(らす)
仁	ニ
推	お(す)
盛	セイ さか(る) さか(ん)
誠	まこと
舌	ゼツ
専	もっぱ(ら)
染	セン
銭	ぜに
装	ショウ
操	あやつ(る)
蔵	くら
探	さぐ(る)
値	あたい
著	あらわ(す) いちじる(しい)
敵	かたき
討	う(つ)
乳	ち
認	ニン
納	ナッ トウ
背	そむ(く) そむ(ける)
秘	ひ(める)
並	ヘイ
閉	と(ざす)
片	ヘン
暮	ボ
訪	おとず(れる)
忘	ボウ
優	やさ(しい) すぐ(れる)
欲	ほ(しい)
卵	ラン
裏	リ
臨	のぞ(む)
朗	ほが(らか)

四字熟語

4級でよく出題される重要な四字熟語を50音順に載せました。なお、類は類義語、対は対義語を示しています。

青息吐息（あおいきといき）
どうしようもなく、ほとほと困り果てること。

意気投合（いきとうごう）
互いの気持ちや考えなどが合って仲良くなること。類 情意投合

異口同音（いくどうおん）
多くの人が口をそろえて同じことを言うこと。類 異口同辞

意志薄弱（いしはくじゃく）
意志が弱く、自分の判断で物事を行えないこと。類 薄志弱行

一日千秋（いちじつせんしゅう）
一日が千年のように長く感じられるほど、大変待ち遠しいことのたとえ。類 一日三秋

一望千里（いちぼうせんり）
広々として、非常に見晴らしのよいこと。

一網打尽（いちもうだじん）
ひとまとめに悪人を捕らえつくすこと。

一挙両得（いっきょりょうとく）
一つのことをすることで、同時に二つの利益を得ること。類 一石二鳥／対 一挙両失

一触即発（いっしょくそくはつ）
非常に差し迫った状況に直面していること。類 危機一髪

一心不乱（いっしんふらん）
一つのことに集中して他のことに心をうばわれないこと。類 一意専心

意味深長（いみしんちょう）
行動や言葉が非常に深く、含みがあること。また、言外に意味があること。類 意在言外

有為転変（ういてんぺん）
この世のすべてのものは常に移り変わること。また、この世が無常ではかないことのたとえ。類 諸行無常

雲散霧消（うんさんむしょう）
雲や霧が消えるように、跡形もなく消えてなくなること。類 雲消雨散

起承転結（きしょうてんけつ）
文章の構成法や、物事の順序・組み立て方のこと。

奇想天外（きそうてんがい）
普通の人が思いもよらないような奇抜なこと。

狂喜乱舞（きょうきらんぶ）
狂ったように非常に喜ぶこと。類 歓天喜地

金科玉条（きんかぎょくじょう）
自分の主張などの絶対的なよりどころとなる大切な教訓や信条のこと。

言行一致（げんこういっち）
口で言うことと実際に行うことが一致していること。

故事来歴（こじらいれき）
物事の由来や歴史。また、物事の結果の理由やいきさつ。

五里霧中（ごりむちゅう）
物事の見通しや手がかりが全くつかめないこと。

才色兼備（さいしょくけんび）
すぐれた才能と美しい容姿の両方を備えていること。

山紫水明（さんしすいめい）
山や川の自然の景色がとても美しいこと。

自画自賛（じがじさん）
自分で自分のことをほめること。

縦横無尽（じゅうおうむじん）
思う存分、自在に振る舞うこと。
類 自由自在

思慮分別（しりょふんべつ）
物事をよく考え、判断すること。
類 熟慮断行／対 軽率短慮

心機一転（しんきいってん）
あることをきっかけに、気持ちがすっかり変わること。類 改過自新

針小棒大（しんしょうぼうだい）
針ほどのことを棒ほどに言うことから、物事を実際より大げさに言うこと。

晴耕雨読（せいこううどく）
田園でのんびりと暮らして、満ち足りた生活を送ること。

絶体絶命（ぜったいぜつめい）
せっぱつまって、とうてい逃げられない状態。

是非曲直（ぜひきょくちょく）
物事の善悪や正不正のこと。類 是非善悪

前途有望（ぜんとゆうぼう）
将来的に大いに見込みがあること。類 前途洋々／対 前途多難

大義名分（たいぎめいぶん）
ある行動の根拠となる正当な理由や道理のこと。

大同小異（だいどうしょうい）
細かい点は異なるが、だいたいは同じであること。類 同工異曲

単刀直入（たんとうちょくにゅう）
余談や前置きなしに、いきなり本題に入ること。

昼夜兼行（ちゅうやけんこう）
昼と夜の区別なく、休みなく物事を行うこと。類 不眠不休

沈思黙考（ちんしもっこう）
沈黙して、深くじっと考えこむこと。

電光石火（でんこうせっか）
極めて短い時間のこと。また、動作や振る舞いが速いこと。

馬耳東風（ばじとうふう）
人の意見や批評などを心にとめず聞き流すこと。また、何を言っても反応がないこと。

美辞麗句（びじれいく）
うわべだけたくみに飾り立てた美しい言葉や文章のこと。

品行方正（ひんこうほうせい）
行いや心が正しく、きちんとしていること。

付和雷同（ふわらいどう）
自分の主義・主張がなく、他人の言動に軽々しく同調すること。

本末転倒（ほんまつてんとう）
物事の大事な部分とそうでない部分を取り違えること。類 主客転倒

無病息災（むびょうそくさい）
病気らしい病気をせずに、健康で過ごすこと。類 延命息災

明鏡止水（めいきょうしすい）
すっきりと澄みきった心境で落ち着いていること。

門外不出（もんがいふしゅつ）
貴重なものを秘蔵して、人に見せたり持ち出したりしないこと。

優柔不断（ゆうじゅうふだん）
いつまでもぐずぐずして物事の決断ができないこと。類 意志薄弱

油断大敵（ゆだんたいてき）
油断して注意をおこたると失敗を招くことへの戒め。類 油断強敵

用意周到（よういしゅうとう）
用意が十分に整って、手ぬかりのないこと。

利害得失（りがいとくしつ）
利益と損害。得るものと失うもの。

理路整然（りろせいぜん）
話や考えの筋道がよく通っていること。

その他の部首

部首の問題では、本文で取り上げた頻出(ひんしゅつ)問題以外にもさまざまな漢字が出題されますので、チェックしておきましょう。

漢字	部首
繰	糸
聖	耳
跡	⻊
戦	戈
鮮	魚
僧	亻
燥	火
蔵	艹

漢字	部首
贈	貝
則	刂
尊	寸
致	至
珍	王
敵	攵
添	氵
稲	禾

漢字	部首
堂	土
薄	艹
避	辶
府	广
腐	肉
舞	舛
復	彳
暮	日

漢字	部首
峰	山
砲	石
豊	豆
帽	巾
暴	日
幕	巾
慢	忄
霧	⻗

漢字	部首
迷	辶
猛	犭
郵	阝
腰	月(にくづき)
欲	欠
覧	見
粒	米
麗	鹿

部首一覧

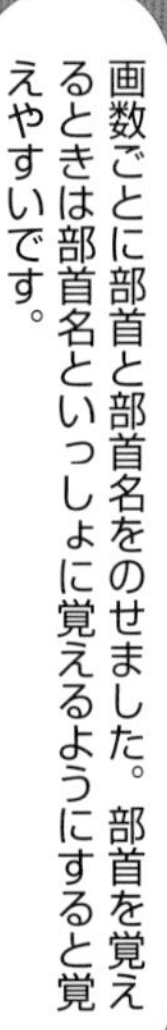
画数ごとに部首と部首名をのせました。部首を覚えるときは部首名といっしょに覚えるようにすると覚えやすいです。

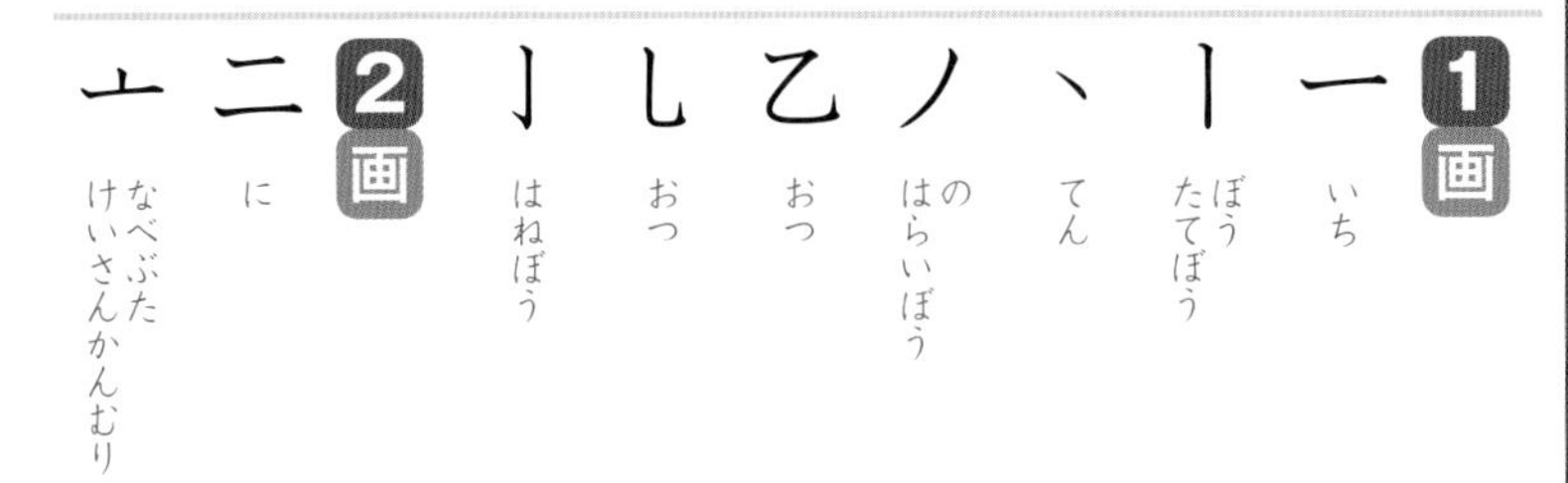
1画

一　いち
丨　ぼう／たてぼう
丶　てん
ノ　の／はらいぼう
乙　おつ
乚　おつ
亅　はねぼう

2画

二　に
亠　なべぶた／けいさんかんむり
人　ひと
亻　にんべん
𠆢　ひとやね
入　いる
儿　ひとあし／にんにょう
八　はち
ハ　は
冂　どうがまえ／けいがまえ／まきがまえ
冖　わかんむり
冫　にすい
几　つくえ
凵　うけばこ
刀　かたな
刂　りっとう
力　ちから
勹　つつみがまえ
匕　ひ
匚　はこがまえ
匸　かくしがまえ
十　じゅう
卜　と／うらない
卩　わりふ／ふしづくり
㔾　わりふ／ふしづくり
厂　がんだれ
厶　む
又　また

3画

口　くち
口　くちへん
囗　くにがまえ
土　つち
土　つちへん
士　さむらい
夂　すいにょう／ふゆがしら
夕　た／ゆうべ
大　だい
女　おんな
女　おんなへん
子　こ
子　こへん
宀　うかんむり
寸　すん
小　しょう
⺌　しょう
尢　だいのまげあし
尸　かばね／しかばね
屮　てつ
山　やま
山　やまへん
川　かわ
巛　かわ
工　え／たくみ
工　たくみへん
己　おのれ
巾　はば

巾	はばへん きんべん
干	かん いちじゅう
幺	よう いとがしら
广	まだれ
廴	えんにょう
廾	こまぬき にじゅうあし
弋	しきがまえ
弓	ゆみ
弓	ゆみへん
彑	けいがしら
彡	さんづくり
彳	ぎょうにんべん
⺍	つかんむり

忄→もとは心(4画へ)
扌→もとは手(4画へ)
氵→もとは水(4画へ)
犭→もとは犬(4画へ)
艹→もとは艸(6画へ)
辶→もとは辵(7画へ)
阝(旁)→もとは邑(7画へ)
阝(偏)→もとは阜(8画へ)

4画

心	こころ
忄	りっしんべん
⺗	したごころ
戈	ほこづくり ほこがまえ
戸	と
戸	とだれ とかんむり
手	て
扌	てへん
支	し
攵	のぶん ぼくづくり
文	ぶん
斗	とます
斤	きん
斤	おのづくり
方	ほう
方	ほうへん かたへん
日	ひ
日	ひへん
曰	ひらび いわく
月	つき
月	つきへん
木	き
木	きへん
欠	あくび かける
止	とめる
歹	かばねへん いちたへん がつへん
殳	るまた ほこづくり
毋	なかれ
比	ならびひ くらべる
毛	け
氏	うじ
气	きがまえ
水	みず
氵	さんずい
氺	したみず
火	ひ
火	ひへん
灬	れんが れっか
爪	つめ
爫	つめかんむり つめがしら
父	ちち
片	かた
片	かたへん
牙	きば
牛	うし
牛	うしへん
犬	いぬ
犭	けものへん

王・⺩→もとは玉(5画へ)
礻→もとは示(5画へ)
耂→もとは老(6画へ)
辶→もとは辵(7画へ)

5画

玄	げん
玉	たま
王	おう
⺩	おうへん たまへん
瓦	かわら
甘	かん あまい
生	うまれる
用	もちいる
田	た

- 田 たへん
- 足 ひき
- 𧾷 ひきへん
- 疒 やまいだれ
- 癶 はつがしら
- 白 しろ
- 皮 けがわ
- 皿 さら
- 目 め
- 目 めへん
- 矛 ほこ
- 矢 や
- 矢 やへん

- 旡 なし／ぶ／すでのつくり
- 石 いし
- 石 いしへん
- 示 しめす
- 礻 しめすへん
- 禾 のぎ
- 禾 のぎへん
- 穴 あな
- 穴 あなかんむり
- 立 たつ
- 立 たつへん

> 氺→もとは水（4画へ）
> 罒→もとは网（6画へ）
> 衤→もとは衣（6画へ）

6画

- 竹 たけ
- ⺮ たけかんむり
- 米 こめ
- 米 こめへん
- 糸 いと
- 糸 いとへん
- 缶 ほとぎ
- 罒 あみがしら／あみめ／よこめ
- 羊 ひつじ
- 羽 はね
- 耂 おいかんむり／おいがしら
- 而 しかして／しこうして

- 耒 すきへん／らいすき
- 耳 みみ
- 耳 みみへん
- 聿 ふでづくり
- 肉 にく
- 月 にくづき
- 自 みずから
- 至 いたる
- 臼 うす
- 舌 した
- 舟 ふね
- 舟 ふねへん
- 艮 ねづくり／こんづくり

- 色 いろ
- 艹 くさかんむり
- 虍 とらがしら／とらかんむり
- 虫 むし
- 虫 むしへん
- 血 ち
- 行 ぎょう
- 行 ぎょうがまえ／ゆきがまえ
- 衣 ころも
- 衤 ころもへん
- 西 にし
- 覀 おおいかんむり

7画

- 見 みる
- 臣 しん
- 角 かく／つの
- 角 つのへん
- 言 げん
- 訁 ごんべん
- 谷 たに
- 豆 まめ
- 豕 ぶた／いのこ
- 豸 むじなへん
- 貝 かい／こがい
- 貝 かいへん
- 赤 あか

走 はしる
走 そうにょう
足 あし
𧾷 あしへん
身 み
車 くるま
車 くるまへん
辛 からい
辰 しんのたつ
辶 しんにょう しんにゅう
辶 しんにょう しんにゅう
阝 おおざと
酉 ひよみのとり

酉 とりへん
采 のごめ
釆 のごめへん
里 さと
里 さとへん
舛 まいあし
麦 むぎ
麦 ばくにょう

8画

金 かね
金 かねへん
長 ながい
門 もん

門 もんがまえ
阜 おか
阝 こざとへん
隶 れいづくり
隹 ふるとり
雨 あめ
雨 あめかんむり
青 あお
非 あらず ひ
斉 せい

飠→もとは食(9画へ)

9画

面 めん

革 かくのかわ つくりがわ
革 かわへん
音 おと
頁 おおがい
風 かぜ
飛 とぶ
食 しょく
𩙿 しょくへん
飠 しょくへん
首 くび
香 か かおり

10画

馬 うま

馬 うまへん
骨 ほね
骨 ほねへん
高 たかい
髟 かみがしら
鬯 ちょう
鬼 おに
鬼 きにょう
韋 なめしがわ
竜 りゅう

11画

魚 うお
魚 うおへん

鳥 とり
鹿 しか
麻 あさ
黄 き
黒 くろ
亀 かめ

12画

歯 は
歯 はへん

13画

鼓 つづみ

14画

鼻 はな

5級以下の配当漢字表

5級以下の漢字は小学校で習う学習漢字になります。

愛	アイ
悪	アク・オ★ わる(い)
圧	アツ
安	アン やす(い)
案	アン
暗	アン くら(い)
以	イ
衣	イ ころも
位	イ くらい
囲	イ かこ(む)・かこ(う)
医	イ
委	イ ゆだ(ねる)
胃	イ
異	イ こと
移	イ うつ(る)・うつ(す)
意	イ
遺	イ・ユイ
域	イキ
育	イク そだ(つ)・そだ(てる)・はぐく(む)
一	イチ・イツ ひと・ひと(つ)
茨	いばら
引	イン ひ(く)・ひ(ける)
印	イン しるし
因	イン よ(る)★
員	イン
院	イン
飲	イン の(む)
右	ウ・ユウ みぎ
宇	ウ
羽	ウ は・はね
雨	ウ あめ・あま
運	ウン はこ(ぶ)
雲	ウン くも
永	エイ なが(い)
泳	エイ およ(ぐ)
英	エイ
映	エイ うつ(る)・うつ(す)・は(える)
栄	エイ さか(える)・は(え)★・は(える)★
営	エイ いとな(む)
衛	エイ
易	エキ・イ やさ(しい)
益	エキ・ヤク★
液	エキ
駅	エキ
円	エン まる(い)
延	エン の(びる)・の(べる)・の(ばす)
沿	エン そ(う)
媛	エン
園	エン その
遠	エン・オン★ とお(い)
塩	エン しお
演	エン
王	オウ
央	オウ
応	オウ こた(える)
往	オウ
桜	オウ★ さくら
横	オウ よこ
岡	おか
屋	オク や
億	オク
音	オン・イン おと・ね
恩	オン
温	オン あたた(か)・あたた(かい)・あたた(まる)・あたた(める)
下	カ・ゲ した・しも・もと・さ(げる)・さ(がる)・くだ(る)・くだ(す)・くだ(さる)・お(ろす)・お(りる)
化	カ・ケ ば(ける)・ば(かす)
火	カ ひ・ほ★
加	カ くわ(える)・くわ(わる)
可	カ
仮	カ・ケ かり
何	カ なに・なん
花	カ はな
価	カ あたい★
果	カ は(たす)・は(てる)・は(て)
河	カ かわ
科	カ
夏	カ・ゲ なつ
家	カ・ケ いえ・や
荷	カ に
貨	カ
過	カ す(ぎる)・す(ごす)・あやま(つ)★・あやま(ち)★
歌	カ うた・うた(う)
課	カ
我	ガ われ・わ
画	ガ・カク
芽	ガ め
賀	ガ
回	カイ・エ★ まわ(る)・まわ(す)
灰	カイ はい
会	カイ・エ★ あ(う)
快	カイ こころよ(い)
改	カイ あらた(める)・あらた(まる)
海	カイ うみ
界	カイ
械	カイ
絵	カイ・エ
開	カイ ひら(く)・ひら(ける)・あ(く)・あ(ける)
階	カイ
解	カイ・ゲ★ と(く)・と(かす)・と(ける)
貝	かい
外	ガイ・ゲ そと・ほか・はず(す)・はず(れる)
害	ガイ
街	ガイ・カイ まち
各	カク おのおの★
角	カク かど・つの
拡	カク
革	カク かわ
格	カク・コウ★
覚	カク おぼ(える)・さ(ます)・さ(める)
閣	カク
確	カク たし(か)・たし(かめる)
学	ガク まな(ぶ)
楽	ガク・ラク たの(しい)・たの(しむ)
額	ガク ひたい
潟	かた
活	カツ
割	カツ わ(る)・わり・わ(れる)・さ(く)
株	かぶ
干	カン ほ(す)・ひ(る)
刊	カン
完	カン
官	カン
巻	カン ま(く)・まき
看	カン
寒	カン さむ(い)
間	カン・ケン あいだ・ま
幹	カン みき
感	カン

※中学・高校で習う音訓も掲げてあります。★の付いた音訓は高校で習う読みです。

漢	カン
慣	カン / な(れる)・なら(す)
管	カン / くだ
関	カン / せき・かか(わる)
館	カン / やかた
簡	カン
観	カン
丸	ガン / まる・まる(い)・まる(める)
岸	ガン / きし
岩	ガン / いわ
眼	ガン・ゲン★ / まなこ
顔	ガン / かお
願	ガン / ねが(う)
危	キ / あぶ(ない)・あや(うい)・あや(ぶむ)
机	キ / つくえ
気	キ・ケ
岐	キ
希	キ
汽	キ
季	キ
紀	キ
記	キ / しる(す)
起	キ / お(きる)・お(こる)・お(こす)
帰	キ / かえ(る)・かえ(す)
基	キ / もと・もとい★
寄	キ / よ(る)・よ(せる)
規	キ
喜	キ / よろこ(ぶ)
揮	キ
期	キ・ゴ★
貴	キ / たっと(い)・とうと(い)・たっと(ぶ)・とうと(ぶ)
旗	キ / はた
器	キ / うつわ
機	キ / はた
技	ギ / わざ
義	ギ
疑	ギ / うたが(う)
議	ギ
客	キャク・カク
逆	ギャク / さか・さか(らう)
九	キュウ・ク / ここの・ここの(つ)
久	キュウ・ク★ / ひさ(しい)
弓	キュウ / ゆみ
旧	キュウ
休	キュウ / やす(む)・やす(まる)・やす(める)
吸	キュウ / す(う)
求	キュウ / もと(める)
究	キュウ / きわ(める)
泣	キュウ / な(く)
急	キュウ / いそ(ぐ)
級	キュウ
宮	キュウ・グウ・ク★ / みや
救	キュウ / すく(う)
球	キュウ / たま
給	キュウ
牛	ギュウ / うし
去	キョ・コ / さ(る)
居	キョ / い(る)
挙	キョ / あ(げる)・あ(がる)
許	キョ / ゆる(す)
魚	ギョ / うお・さかな
漁	ギョ・リョウ
共	キョウ / とも
京	キョウ・ケイ
供	キョウ・ク★ / そな(える)・とも
協	キョウ
胸	キョウ / むね・むな
強	キョウ・ゴウ / つよ(い)・つよ(まる)・つよ(める)・し(いる)
教	キョウ / おし(える)・おそ(わる)
郷	キョウ・ゴウ
境	キョウ・ケイ / さかい
橋	キョウ / はし
鏡	キョウ / かがみ
競	キョウ・ケイ / きそ(う)・せ(る)★
業	ギョウ・ゴウ★ / わざ
曲	キョク / ま(がる)・ま(げる)
局	キョク
極	キョク・ゴク / きわ(める)・きわ(まる)・きわ(み)
玉	ギョク / たま
均	キン
近	キン / ちか(い)
金	キン・コン / かね・かな
勤	キン・ゴン★ / つと(める)・つと(まる)
筋	キン / すじ
禁	キン
銀	ギン
区	ク
句	ク
苦	ク / くる(しい)・くる(しむ)・くる(しめる)・にが(い)・にが(る)
具	グ
空	クウ / そら・あ(く)・あ(ける)・から
熊	くま
君	クン / きみ
訓	クン
軍	グン
郡	グン
群	グン / む(れる)・む(れ)・むら
兄	ケイ・キョウ / あに
形	ケイ・ギョウ / かた・かたち
系	ケイ
径	ケイ
係	ケイ / かか(る)・かかり
型	ケイ / かた
計	ケイ / はか(る)・はか(らう)
経	ケイ・キョウ / へ(る)
敬	ケイ / うやま(う)
景	ケイ
軽	ケイ / かる(い)・かろ(やか)
警	ケイ
芸	ゲイ
劇	ゲキ
激	ゲキ / はげ(しい)
欠	ケツ / か(ける)・か(く)
穴	ケツ / あな
血	ケツ / ち
決	ケツ / き(める)・き(まる)
結	ケツ / むす(ぶ)・ゆ(う)・ゆ(わえる)
潔	ケツ / いさぎよ(い) / ★
月	ゲツ・ガツ / つき
犬	ケン / いぬ
件	ケン
見	ケン / み(る)・み(える)・み(せる)
券	ケン
建	ケン・コン★ / た(てる)・た(つ)
研	ケン / と(ぐ)
県	ケン
健	ケン / すこ(やか)
険	ケン / けわ(しい)
検	ケン
絹	ケン★ / きぬ
権	ケン・ゴン★
憲	ケン

験	ケン・ゲン★
元	ゲン・ガン もと
言	ゲン・ゴン い(う)・こと
限	ゲン かぎ(る)
原	ゲン はら
現	ゲン あらわ(れる)・ あらわ(す)
減	ゲン へ(る)・ へ(らす)
源	ゲン みなもと
厳	ゲン・ゴン★ おごそ(か)・ きび(しい)
己	コ・キ おのれ
戸	コ と
古	コ ふる(い)・ ふる(す)
呼	コ よ(ぶ)
固	コ かた(める)・ かた(まる)・ かた(い)
故	コ ゆえ
個	コ
庫	コ・ク★
湖	コ みずうみ
五	ゴ いつ・いつ(つ)
午	ゴ
後	ゴ・コウ のち・ うし(ろ)・ あと・ おく(れる)
語	ゴ かた(る)・ かた(らう)
誤	ゴ あやま(る)
護	ゴ
口	コウ・ク くち
工	コウ・ク
公	コウ おおやけ
功	コウ・ク★
広	コウ ひろ(い)・ ひろ(まる)・ ひろ(める)・ ひろ(がる)・ ひろ(げる)
交	コウ まじ(わる)・ まじ(える)・ ま(じる)・ ま(ざる)・ ま(ぜる)・ か(う)・ か(わす)
光	コウ ひか(る)・ ひかり
向	コウ む(く)・ む(ける)・ む(かう)・ む(こう)
后	コウ
好	コウ この(む)・ す(く)
考	コウ かんが(える)
行	コウ・ ギョウ・ アン★ い(く)・ ゆ(く)・ おこな(う)
孝	コウ
効	コウ き(く)
幸	コウ さいわ(い)・ さち・ しあわ(せ)
厚	コウ あつ(い)
皇	コウ・オウ
紅	コウ・ク べに・ くれない
香	コウ・キョウ★ か・かお(り)・ かお(る)
候	コウ そうろう★
校	コウ
耕	コウ たがや(す)
航	コウ
降	コウ お(りる)・お (ろす)・ふ(る)
高	コウ たか(い)・ たか・ たか(まる)・ たか(める)
康	コウ
黄	コウ・オウ き・こ
港	コウ みなと
鉱	コウ
構	コウ かま(える)・ かま(う)
興	コウ・キョウ おこ(る)★・ おこ(す)★
鋼	コウ はがね
講	コウ
号	ゴウ
合	ゴウ・ガッ・ カッ あ(う)・ あ(わす)・ あ(わせる)
告	コク つ(げる)
谷	コク たに
刻	コク きざ(む)
国	コク くに
黒	コク くろ・くろ(い)
穀	コク
骨	コツ ほね
今	コン・キン いま
困	コン こま(る)
根	コン ね
混	コン ま(じる)・ ま(ざる)・ ま(ぜる)・ こ(む)
左	サ ひだり
佐	サ
査	サ
砂	サ・シャ すな
差	サ さ(す)
座	ザ すわ(る)
才	サイ
再	サイ・サ ふたた(び)
災	サイ わざわ(い)
妻	サイ つま
採	サイ と(る)
済	サイ す(む)・ す(ます)
祭	サイ まつ(る)・ まつ(り)
細	サイ ほそ(い)・ ほそ(る)・ こま(か)・ こま(かい)
菜	サイ な
最	サイ もっと(も)
裁	サイ た(つ)・ さば(く)
際	サイ きわ★
埼	さい
在	ザイ あ(る)
材	ザイ
財	ザイ・サイ
罪	ザイ つみ
崎	さき
作	サク・サ つく(る)
昨	サク
策	サク
冊	サツ・サク★
札	サツ ふだ
刷	サツ す(る)
殺	サツ・サイ★・ セツ★ ころ(す)
察	サツ
雑	ザツ・ゾウ
皿	さら
三	サン み・み(つ)・ みっ(つ)
山	サン やま
参	サン まい(る)
蚕	サン かいこ
産	サン う(む)・う(ま れる)・うぶ★
散	サン ち(る)・ ち(らす)・ ち(らかす)・ ち(らかる)
算	サン
酸	サン す(い)★
賛	サン
残	ザン のこ(る)・ のこ(す)
士	シ
子	シ・ス こ
支	シ ささ(える)
止	シ と(まる)・ と(める)
氏	シ うじ
仕	シ・ジ★ つか(える)
史	シ
司	シ
四	シ よ・よ(つ)・よ っ(つ)・よん
市	シ いち
矢	シ★ や
死	シ し(ぬ)
糸	シ いと
至	シ いた(る)
志	シ こころざ(す)・ こころざし
私	シ わたくし・ わたし
使	シ つか(う)
始	シ はじ(める)・ はじ(まる)

姉	シ あね
枝	シ★ えだ
姿	シ すがた
思	シ おも(う)
指	シ ゆび・さ(す)
師	シ
紙	シ かみ
視	シ
詞	シ
歯	シ は
試	シ こころ(みる)・ため(す)
詩	シ
資	シ
飼	シ か(う)
誌	シ
示	ジ・シ しめ(す)
字	ジ あざ
寺	ジ てら
次	ジ・シ つ(ぐ)・つぎ
耳	ジ みみ
自	ジ・シ みずか(ら)
似	ジ に(る)
児	ジ・ニ
事	ジ・ズ★ こと
治	ジ・チ おさ(める)・おさ(まる)・なお(る)・なお(す)
持	ジ も(つ)
時	ジ とき
滋	ジ
辞	ジ や(める)
磁	ジ
鹿	しか・か
式	シキ
識	シキ
七	シチ なな・なな(つ)・なの
失	シツ うしな(う)
室	シツ むろ
質	シツ・シチ・チ★
実	ジツ み・みの(る)
写	シャ うつ(す)・うつ(る)
社	シャ やしろ
車	シャ くるま
舎	シャ
者	シャ もの
射	シャ い(る)
捨	シャ す(てる)
謝	シャ あやま(る)
尺	シャク
借	シャク か(りる)
若	ジャク・ニャク★ わか(い)・も(しくは)★
弱	ジャク よわ(い)・よわ(る)・よわ(まる)・よわ(める)
手	シュ て・た
主	シュ・ス★ ぬし・おも
守	シュ・ス まも(る)・も(り)
取	シュ と(る)
首	シュ くび
酒	シュ さけ・さか
種	シュ たね
受	ジュ う(ける)・う(かる)
授	ジュ さず(ける)・さず(かる)
樹	ジュ
収	シュウ おさ(める)・おさ(まる)
州	シュウ す
周	シュウ まわ(り)
宗	シュウ・ソウ
拾	シュウ・ジュウ ひろ(う)
秋	シュウ あき
修	シュウ・シュ おさ(める)・おさ(まる)
終	シュウ お(わる)・お(える)
習	シュウ なら(う)
週	シュウ
就	シュウ・ジュ★ つ(く)・つ(ける)
衆	シュウ・シュ★
集	シュウ あつ(まる)・あつ(める)・つど(う)
十	ジュウ・ジッ とお・と
住	ジュウ す(む)・す(まう)
重	ジュウ・チョウ え・おも(い)・かさ(ねる)・かさ(なる)
従	ジュウ・ショウ★・ジュ★ したが(う)・したが(える)
縦	ジュウ たて
祝	シュク・シュウ★ いわ(う)
宿	シュク やど・やど(る)・やど(す)
縮	シュク ちぢ(む)・ちぢ(まる)・ちぢ(める)・ちぢ(れる)・ちぢ(らす)
熟	ジュク う(れる)
出	シュツ・スイ で(る)・だ(す)
述	ジュツ の(べる)
術	ジュツ
春	シュン はる
純	ジュン
順	ジュン
準	ジュン
処	ショ
初	ショ はじ(め)・はじ(めて)・はつ・うい★・そ(める)
所	ショ ところ
書	ショ か(く)
暑	ショ あつ(い)
署	ショ
諸	ショ
女	ジョ・ニョ・ニョウ★ おんな・め
助	ジョ たす(ける)・たす(かる)・すけ
序	ジョ
除	ジョ・ジ のぞ(く)
小	ショウ ちい(さい)・こ・お
少	ショウ すく(ない)・すこ(し)
招	ショウ まね(く)
承	ショウ うけたまわ(る)
松	ショウ まつ
昭	ショウ
将	ショウ
消	ショウ き(える)・け(す)
笑	ショウ わら(う)・え(む)
唱	ショウ とな(える)
商	ショウ あきな(う)
章	ショウ
勝	ショウ か(つ)・まさ(る)
焼	ショウ や(く)・や(ける)
証	ショウ
象	ショウ・ゾウ
傷	ショウ きず・いた(む)・いた(める)
照	ショウ て(る)・て(らす)・て(れる)
障	ショウ さわ(る)★
賞	ショウ
上	ジョウ・ショウ★ うえ・うわ・かみ・あ(げる)・あ(がる)・のぼ(る)・のぼ(せる)・のぼ(す)
条	ジョウ
状	ジョウ
乗	ジョウ の(る)・の(せる)
城	ジョウ しろ
常	ジョウ つね・とこ★
情	ジョウ・セイ★ なさ(け)
場	ジョウ ば
蒸	ジョウ む(す)・む(れる)・む(らす)
縄	ジョウ なわ

付録

5級以下の配当漢字表

色	ショク・シキ いろ
食	ショク・ジキ★ く(う)・く(らう)★・た(べる)
植	ショク う(える)・う(わる)
織	ショク★・シキ お(る)
職	ショク
心	シン こころ
申	シン もう(す)
臣	シン・ジン
身	シン み
信	シン
神	シン・ジン かみ・かん・こう★
真	シン ま
針	シン はり
深	シン ふか(い)・ふか(まる)・ふか(める)
進	シン すす(む)・すす(める)
森	シン もり
新	シン あたら(しい)・あら(た)・にい
親	シン おや・した(しい)・した(しむ)
人	ジン・ニン ひと
仁	ジン・ニ
図	ズ・ト はか(る)
水	スイ みず
垂	スイ た(れる)・た(らす)
推	スイ お(す)
数	スウ・ス★ かず・かぞ(える)
寸	スン
井	セイ★・ショウ い
世	セイ・セ よ
正	セイ・ショウ ただ(しい)・ただ(す)・まさ
生	セイ・ショウ い(きる)・い(かす)・い(ける)・う(まれる)・う(む)・お(う)・は(える)・は(やす)・き・なま
成	セイ・ジョウ★ な(る)・な(す)
西	セイ・サイ にし
声	セイ・ショウ★ こえ・こわ
制	セイ
性	セイ・ショウ
青	セイ・ショウ★ あお・あお(い)
政	セイ・ショウ★ まつりごと★
星	セイ・ショウ ほし
省	セイ・ショウ かえり(みる)・はぶ(く)
清	セイ・ショウ★ きよ(い)・きよ(まる)・きよ(める)
盛	セイ・ジョウ★ も(る)・さか(る)・さか(ん)
晴	セイ は(れる)・は(らす)
勢	セイ いきお(い)
聖	セイ
誠	セイ まこと
精	セイ・ショウ
製	セイ
静	セイ・ジョウ しず・しず(か)・しず(まる)・しず(める)
整	セイ ととの(える)・ととの(う)
税	ゼイ
夕	セキ ゆう
石	セキ・シャク・コク いし
赤	セキ・シャク★ あか・あか(い)・あか(らむ)・あか(らめる)
昔	セキ★・シャク むかし
席	セキ
責	セキ せ(める)
積	セキ つ(む)・つ(もる)
績	セキ
切	セツ・サイ き(る)・き(れる)
折	セツ お(る)・おり・お(れる)
接	セツ つ(ぐ)★
設	セツ もう(ける)
雪	セツ ゆき
節	セツ・セチ★ ふし
説	セツ・ゼイ★ と(く)
舌	ゼツ した
絶	ゼツ た(える)・た(やす)・た(つ)
千	セン ち
川	セン かわ
先	セン さき
宣	セン
専	セン もっぱ(ら)
泉	セン いずみ
浅	セン あさ(い)
洗	セン あら(う)
染	セン そ(める)・そ(まる)・し(みる)★・し(み)★
船	セン ふね・ふな
戦	セン いくさ・たたか(う)
銭	セン ぜに
線	セン
選	セン えら(ぶ)
全	ゼン まった(く)・すべ(て)
前	ゼン まえ
善	ゼン よ(い)
然	ゼン・ネン
祖	ソ
素	ソ・ス
組	ソ く(む)・くみ
早	ソウ・サッ はや(い)・はや(まる)・はや(める)
争	ソウ あらそ(う)
走	ソウ はし(る)
奏	ソウ かな(でる)★
相	ソウ・ショウ あい
草	ソウ くさ
送	ソウ おく(る)
倉	ソウ くら
巣	ソウ★ す
窓	ソウ まど
創	ソウ つく(る)
装	ソウ・ショウ よそお(う)★
想	ソウ・ソ★
層	ソウ
総	ソウ
操	ソウ みさお★・あやつ(る)
造	ゾウ つく(る)
像	ゾウ
増	ゾウ ま(す)・ふ(える)・ふ(やす)
蔵	ゾウ くら
臓	ゾウ
束	ソク たば
足	ソク あし・た(りる)・た(る)・た(す)
則	ソク
息	ソク いき
速	ソク はや(い)・はや(める)・はや(まる)・すみ(やか)
側	ソク がわ
測	ソク はか(る)
族	ゾク
属	ゾク
続	ゾク つづ(く)・つづ(ける)
卒	ソツ
率	ソツ・リツ ひき(いる)
存	ソン・ゾン
村	ソン むら
孫	ソン まご
尊	ソン たっと(い)・とうと(い)・たっと(ぶ)・とうと(ぶ)
損	ソン そこ(なう)・そこ(ねる)
他	タ ほか

多	タ おお(い)
打	ダ う(つ)
太	タイ・タ ふと(い)・ふと(る)
対	タイ・ツイ
体	タイ・テイ からだ
待	タイ ま(つ)
退	タイ しりぞ(く)・しりぞ(ける)
帯	タイ お(びる)・おび
貸	タイ か(す)
隊	タイ
態	タイ
大	ダイ・タイ おお・おお(きい)・おお(いに)
代	ダイ・タイ か(わる)・か(える)・よ・しろ
台	ダイ・タイ
第	ダイ
題	ダイ
宅	タク
達	タツ
担	タン かつ(ぐ)★・にな(う)★
単	タン
炭	タン すみ
探	タン さぐ(る)・さが(す)
短	タン みじか(い)
誕	タン
団	ダン・トン★
男	ダン・ナン おとこ
段	ダン
断	ダン た(つ)・ことわ(る)
暖	ダン あたた(か)・あたた(かい)・あたた(まる)・あたた(める)
談	ダン
地	チ・ジ
池	チ いけ
知	チ し(る)
値	チ ね・あたい
置	チ お(く)
竹	チク たけ
築	チク きず(く)
茶	チャ・サ
着	チャク・ジャク★・き(る)・き(せる)・つ(く)・つ(ける)
中	チュウ・ジュウ なか
仲	チュウ なか
虫	チュウ むし
沖	チュウ おき★
宙	チュウ
忠	チュウ
注	チュウ そそ(ぐ)
昼	チュウ ひる
柱	チュウ はしら
著	チョ あらわ(す)・いちじる(しい)
貯	チョ
丁	チョウ・テイ
庁	チョウ
兆	チョウ きざ(す)★・きざ(し)★
町	チョウ まち
長	チョウ なが(い)
帳	チョウ
張	チョウ は(る)
頂	チョウ いただ(く)・いただき
鳥	チョウ とり
朝	チョウ あさ
腸	チョウ
潮	チョウ しお
調	チョウ しら(べる)・ととの(う)・ととの(える)
直	チョク・ジキ ただ(ちに)・なお(す)・なお(る)
賃	チン
追	ツイ お(う)
通	ツウ・ツ★ とお(る)・とお(す)・かよ(う)
痛	ツウ いた(い)・いた(む)・いた(める)
低	テイ ひく(い)・ひく(める)・ひく(まる)
弟	テイ・ダイ・デ おとうと
定	テイ・ジョウ さだ(める)・さだ(まる)・さだ(か)★
底	テイ そこ
庭	テイ にわ
停	テイ
提	テイ さ(げる)
程	テイ ほど
的	テキ まと
笛	テキ ふえ
適	テキ
敵	テキ かたき
鉄	テツ
天	テン あめ★・あま
典	テン
店	テン みせ
点	テン
展	テン
転	テン ころ(がる)・ころ(げる)・ころ(がす)・ころ(ぶ)
田	デン た
伝	デン つた(わる)・つた(える)・つた(う)
電	デン
徒	ト
都	ト・ツ みやこ
土	ド・ト つち
努	ド つと(める)
度	ド・ト★・タク たび
刀	トウ かたな
冬	トウ ふゆ
灯	トウ ひ★
当	トウ あ(たる)・あ(てる)
投	トウ な(げる)
豆	トウ・ズ まめ
東	トウ ひがし
島	トウ しま
討	トウ う(つ)
党	トウ
湯	トウ ゆ
登	トウ・ト のぼ(る)
答	トウ こた(える)・こた(え)
等	トウ ひと(しい)
統	トウ す(べる)★
糖	トウ
頭	トウ・ズ・ト★ あたま・かしら
同	ドウ おな(じ)
動	ドウ うご(く)・うご(かす)
堂	ドウ
童	ドウ わらべ
道	ドウ・トウ★ みち
働	ドウ はたら(く)
銅	ドウ
導	ドウ みちび(く)
特	トク
得	トク え(る)・う(る)
徳	トク
毒	ドク
独	ドク ひと(り)
読	ドク・トク・トウ よ(む)
栃	とち
届	とど(ける)・とど(く)
奈	ナ
内	ナイ・ダイ うち
梨	なし

南	ナン・ナ★ みなみ
難	ナン かた(い)★・むずか(しい)
二	ニ ふた・ふた(つ)
肉	ニク
日	ニチ・ジツ ひ・か
入	ニュウ い(る)・い(れる)・はい(る)
乳	ニュウ ちち・ち
任	ニン まか(せる)・まか(す)
認	ニン みと(める)
熱	ネツ あつ(い)
年	ネン とし
念	ネン
燃	ネン も(える)・も(やす)・も(す)
納	ノウ・ナッ・ナ★・ナン★・トウ おさ(める)・おさ(まる)
能	ノウ
脳	ノウ
農	ノウ
波	ハ なみ
派	ハ
破	ハ やぶ(る)・やぶ(れる)
馬	バ うま・ま
拝	ハイ おが(む)
背	ハイ せ・せい・そむ(く)・そむ(ける)
肺	ハイ
俳	ハイ
配	ハイ くば(る)
敗	ハイ やぶ(れる)
売	バイ う(る)・う(れる)
倍	バイ
梅	バイ うめ
買	バイ か(う)
白	ハク・ビャク★ しろ・しら・しろ(い)
博	ハク・バク★
麦	バク むぎ
箱	はこ
畑	はた・はたけ
八	ハチ や・や(つ)・やっ(つ)・よう
発	ハツ・ホツ
反	ハン・ホン★・タン そ(る)・そ(らす)
半	ハン なか(ば)
犯	ハン おか(す)
判	ハン・バン
坂	ハン★ さか
阪	ハン
板	ハン・バン いた
版	ハン
班	ハン
飯	ハン めし
晩	バン
番	バン
比	ヒ くら(べる)
皮	ヒ かわ
否	ヒ いな★
批	ヒ
肥	ヒ こ(える)・こえ・こ(やす)・こ(やし)
非	ヒ
飛	ヒ と(ぶ)・と(ばす)
秘	ヒ ひ(める)
悲	ヒ かな(しい)・かな(しむ)
費	ヒ つい(やす)・つい(える)
美	ビ うつく(しい)
備	ビ そな(える)・そな(わる)
鼻	ビ はな
必	ヒツ かなら(ず)
筆	ヒツ ふで
百	ヒャク
氷	ヒョウ こおり・ひ★
表	ヒョウ おもて・あらわ(す)・あらわ(れる)
俵	ヒョウ たわら
票	ヒョウ
評	ヒョウ
標	ヒョウ
秒	ビョウ
病	ビョウ・ヘイ★ や(む)・やまい
品	ヒン しな
貧	ヒン・ビン まず(しい)
不	フ・ブ
夫	フ・フウ おっと
父	フ ちち
付	フ つ(ける)・つ(く)
布	フ ぬの
府	フ
阜	フ
負	フ ま(ける)・ま(かす)・お(う)
婦	フ
富	フ・フウ★ と(む)・とみ
武	ブ・ム
部	ブ
風	フウ・フ★ かぜ・かざ
服	フク
副	フク
復	フク
福	フク
腹	フク はら
複	フク
仏	ブツ ほとけ
物	ブツ・モツ もの
粉	フン こ・こな
奮	フン ふる(う)
分	ブン・フン・ブ わ(ける)・わ(かれる)・わ(かる)・わ(かつ)
文	ブン・モン ふみ
聞	ブン・モン★ き(く)・き(こえる)
平	ヘイ・ビョウ たい(ら)・ひら
兵	ヘイ・ヒョウ
並	ヘイ なみ・なら(べる)・なら(ぶ)・なら(びに)
陛	ヘイ
閉	ヘイ と(じる)・と(ざす)・し(める)・し(まる)
米	ベイ・マイ こめ
別	ベツ わか(れる)
片	ヘン かた
辺	ヘン あた(り)・べ
返	ヘン かえ(す)・かえ(る)
変	ヘン か(わる)・か(える)
編	ヘン あ(む)
弁	ベン
便	ベン・ビン たよ(り)
勉	ベン
歩	ホ・ブ・フ★ ある(く)・あゆ(む)
保	ホ たも(つ)
補	ホ おぎな(う)
母	ボ はは
墓	ボ はか
暮	ボ く(れる)・く(らす)
方	ホウ かた
包	ホウ つつ(む)
宝	ホウ たから
放	ホウ はな(す)・はな(つ)・はな(れる)・ほう(る)
法	ホウ・ハッ★・ホッ★
訪	ホウ おとず(れる)・たず(ねる)
報	ホウ むく(いる)
豊	ホウ ゆた(か)
亡	ボウ・モウ★ な(い)★

忘	ボウ わす(れる)
防	ボウ ふせ(ぐ)
望	ボウ・モウ のぞ(む)
棒	ボウ
貿	ボウ
暴	ボウ・バク あば(く)★・あば(れる)
北	ホク きた
木	ボク・モク き・こ
牧	ボク まき
本	ホン もと
毎	マイ
妹	マイ いもうと
枚	マイ
幕	マク・バク
末	マツ・バツ★ すえ
万	マン・バン
満	マン み(ちる)・み(たす)
未	ミ
味	ミ あじ・あじ(わう)
密	ミツ
脈	ミャク
民	ミン たみ
務	ム つと(める)・つと(まる)
無	ム・ブ な(い)
夢	ム ゆめ
名	メイ・ミョウ な
命	メイ・ミョウ いのち
明	メイ・ミョウ あ(かり)・あか(るい)・あか(るむ)・あか(らむ)・あき(らか)・あ(ける)・あ(く)・あ(くる)・あ(かす)
迷	メイ まよ(う)
盟	メイ
鳴	メイ な(く)・な(る)・な(らす)
面	メン おも・おもて・つら★
綿	メン わた
模	モ・ボ
毛	モウ け
目	モク・ボク め・ま★
門	モン かど
問	モン と(う)・と(い)・とん
夜	ヤ よ・よる
野	ヤ の
役	ヤク・エキ
約	ヤク
訳	ヤク わけ
薬	ヤク くすり
由	ユ・ユウ・ユイ★ よし★
油	ユ あぶら
輸	ユ
友	ユウ とも
有	ユウ・ウ あ(る)
勇	ユウ いさ(む)
郵	ユウ
遊	ユウ・ユ★ あそ(ぶ)
優	ユウ やさ(しい)・すぐ(れる)
予	ヨ
余	ヨ あま(る)・あま(す)
預	ヨ あず(ける)・あず(かる)
幼	ヨウ おさな(い)
用	ヨウ もち(いる)
羊	ヨウ ひつじ
洋	ヨウ
要	ヨウ かなめ・い(る)
容	ヨウ
葉	ヨウ は
陽	ヨウ
様	ヨウ さま
養	ヨウ やしな(う)
曜	ヨウ
浴	ヨク あ(びる)・あ(びせる)
欲	ヨク ほっ(する)★・ほ(しい)
翌	ヨク
来	ライ く(る)・きた(る)・きた(す)
落	ラク お(ちる)・お(とす)
乱	ラン みだ(れる)・みだ(す)
卵	ラン たまご
覧	ラン
利	リ き(く)★
里	リ さと
理	リ
裏	リ うら
陸	リク
立	リツ・リュウ★ た(つ)・た(てる)
律	リツ・リチ★
略	リャク
流	リュウ・ル★ なが(れる)・なが(す)
留	リュウ・ル と(める)・と(まる)
旅	リョ たび
両	リョウ
良	リョウ よ(い)
料	リョウ
量	リョウ はか(る)
領	リョウ
力	リョク・リキ ちから
緑	リョク・ロク★ みどり
林	リン はやし
輪	リン わ
臨	リン のぞ(む)
類	ルイ たぐ(い)
令	レイ
礼	レイ・ライ★
冷	レイ つめ(たい)・ひ(える)・ひ(や)・ひ(やす)・ひ(やかす)・さ(める)・さ(ます)
例	レイ たと(える)
歴	レキ
列	レツ
連	レン つら(なる)・つら(ねる)・つ(れる)
練	レン ね(る)
路	ロ じ
老	ロウ お(いる)・ふ(ける)★
労	ロウ
朗	ロウ ほが(らか)
六	ロク む・む(つ)・むっ(つ)・むい
録	ロク
論	ロン
和	ワ・オ★ やわ(らぐ)・やわ(らげる)・なご(む)・なご(やか)
話	ワ はな(す)・はなし

第1回 模擬試験問題 解答

別冊 2〜7ページ

1

1 てんぽ　2 はくしゃ　3 ひやく　4 ひぼん　5 かんしゅう　6 ぜにん　7 そくおう　8 かじょう　9 はんしょく　10 きじょう　11 きゅうみん　12 らんかん　13 かんよ　14 だつぼう　15 かいほう　16 せいじゃく　17 ゆうだい　18 ぼうさつ　19 どくぜつ　20 せいふく　21 まど　22 ほこ　23 ふ　24 はか　25 しげ　26 にご　27 し　28 え　29 たくわ　30 く

2

1 ウ　2 エ　3 ア　4 イ　5 ア　6 オ　7 ア　8 エ　9 イ　10 イ　11 オ　12 ア　13 オ　14 イ　15 ウ

3

1 ク　2 カ　3 イ　4 ア　5 エ

4

1 ウ　2 オ　3 イ　4 ア　5 イ　6 エ　7 ウ　8 イ　9 ア　10 エ

5

1 ウ　2 イ　3 エ　4 ア　5 エ　6 ア　7 ウ　8 エ　9 イ　10 ア

6

対義語　1 調　2 陽　3 悲　4 弱　5 濃

類義語　6 念　7 努　8 堅　9 基　10 将

7

1 枯らさ　2 満ちる　3 驚い　4 汚い　5 優れ

8

1 言　2 火　3 白　4 雷　5 縦　6 奮　7 紫　8 状　9 里　10 用

9

1 私・支　2 確・革　3 制・整　4 位・囲　5 典・展

10

1 一般　2 交互　3 砂丘　4 樹立　5 円陣　6 熱烈　7 故障　8 玄米　9 圧縮　10 先輩　11 屈折　12 乾燥　13 押　14 拾　15 厳　16 値札　17 叫　18 裏切　19 汗　20 眼鏡

第2回 模擬試験問題 解答

別冊 8〜13ページ

1

1 びょうしゃ
2 とうてい
3 ひれん
4 いんきょ
5 きばつ
6 まんしん
7 けいしゃ
8 せいぎょ
9 とこう
10 しゅにく
11 ほかく
12 いんそつ
13 こうたい
14 さいくつ
15 とう
16 びんそく
17 ついおく
18 しゅうめい
19 ふしょく
20 にゅうわ
21 と
22 えら
23 はず
24 なまり
25 す
26 ほこさき
27 こわ
28 うかが
29 そむ
30 めす

2

1 オ
2 ア
3 ウ
4 エ
5 ア
6 オ
7 ウ
8 ア
9 イ
10 エ
11 オ
12 ア
13 イ
14 オ
15 ウ

3

1 イ
2 エ
3 カ
4 キ
5 ア

4

1 ア
2 ウ
3 エ
4 イ
5 エ
6 オ
7 イ
8 ア
9 エ
10 ウ

5

1 ウ
2 イ
3 エ
4 ア
5 エ
6 イ
7 ア
8 ウ
9 ア
10 エ

6

対義語

1 油
2 冷
3 清
4 給
5 鎖

類義語

6 他
7 豪
8 務
9 占
10 格

7

1 争い
2 拝ん
3 輝い
4 透ける
5 果てる

8

1 黙
2 必
3 異
4 欠
5 刀
6 論
7 難
8 舞
9 頭
10 未

9

1 当・登
2 互・護
3 財・済
4 非・被
5 行・光

10

1 普通
2 過激
3 握手
4 複雑
5 起床
6 優秀
7 安否
8 巨大
9 連絡
10 創立
11 宿泊
12 曇天
13 見限
14 恥
15 絹
16 乾
17 肩車
18 恵
19 盛
20 疲

第3回 模擬試験問題 解答

別冊 14〜19ページ

1

1 ごくひ　2 こうぼう　3 びび　4 いこう　5 けいはく　6 しょうさん　7 ていしょく　8 えんにち　9 みゃくらく　10 ぞうふく　11 たいねつ　12 ちょうしゅう　13 はんも　14 おだく　15 とろ　16 そうい　17 うもう　18 やくざい　19 れんぽう　20 したく　21 のきさき　22 あお　23 ひた　24 たけ　25 うった　26 つつし　27 ほま　28 なげ　29 かたむ　30 おそ

2

1 イ　2 ウ　3 オ　4 エ　5 イ　6 ア　7 ウ　8 エ　9 オ　10 オ　11 ウ　12 エ　13 ア　14 オ　15 イ

3

1 ウ　2 コ　3 ケ　4 ク　5 オ

4

1 エ　2 ウ　3 ア　4 ウ　5 ア　6 イ　7 ア　8 エ　9 イ　10 オ

5

1 イ　2 ウ　3 エ　4 ア　5 ウ　6 エ　7 イ　8 エ　9 ア　10 ウ

6

対義語　1 寝　2 停　3 面　4 尾　5 盟

類義語　6 匹　7 治　8 蔵　9 奮　10 弁

7

1 群がる　2 与える　3 腐る　4 悩ましい　5 供える

8

1 実　2 天　3 剣　4 馬　5 旧　6 心　7 望　8 髪　9 節　10 腹

9

1 進・深　2 飛・比　3 当・討　4 買・売　5 項・候

10

1 途中　2 模写　3 平凡　4 豊富　5 突入　6 距離　7 熟練　8 下旬　9 婚約　10 信頼　11 雷雨　12 浮上　13 欲張　14 抜　15 門出　16 放　17 扱　18 編　19 干　20 荒

第4回 模擬試験問題 解答

別冊 20〜25ページ

1

1 けんむ
2 めいわく
3 じょばん
4 こし
5 でんどう
6 こちょう
7 とってい
8 びょうしょう
9 くのう
10 じんもん
11 もくさつ
12 じゅよう
13 がんちく
14 みんぞく
15 しんとう
16 くじょ
17 そうぜん
18 こうせい
19 きょうさく
20 せんす
21 ではら
22 め
23 さび
24 せま
25 こわ
26 けむ
27 こづか
28 あらなみ
29 さら
30 めぐ

2

1 ア
2 エ
3 イ
4 オ
5 ウ
6 エ
7 オ
8 ア
9 エ
10 エ
11 ウ
12 イ
13 ウ
14 ア
15 イ

3

1 コ
2 オ
3 ウ
4 カ
5 ア

4

1 イ
2 ウ
3 オ
4 イ
5 ウ
6 エ
7 ア
8 エ
9 ウ
10 ア

5

1 ア
2 エ
3 ウ
4 ア
5 エ
6 ウ
7 イ
8 ウ
9 エ
10 イ

6

対義語

1 納
2 慎
3 防
4 相
5 借

類義語

6 根
7 輸
8 類
9 援
10 栄

7

1 帯びる
2 頼もしい
3 訪れる
4 甘える
5 散らかっ

8

1 分
2 足
3 転
4 薄
5 興
6 乱
7 歴
8 志
9 尽
10 災

9

1 確・獲
2 仕・飼
3 刷・察
4 補・保
5 映・影

10

1 色彩
2 感涙
3 絶妙
4 混雑
5 環境
6 断片
7 恋愛
8 水滴
9 遅刻
10 建築
11 土俵
12 脂肪
13 器
14 逃
15 注
16 練
17 胸元
18 渡
19 基
20 鈍

第5回 模擬試験問題 解答

別冊 26〜31ページ

1

1 ちょうば
2 しせき
3 しゅうねん
4 せいえい
5 りゅうし
6 いぎ
7 ふくしょく
8 しゅし
9 かいたく
10 ようきょく
11 いよう
12 こぶ
13 じゅし
14 きんきょう
15 わんしょう
16 すんか
17 びよく
18 はいしゅつ
19 かんげん
20 しんこう
21 かげ
22 おか
23 つ
24 おと
25 あわ
26 しずく
27 こよみ
28 く
29 いく
30 ふち

2

1 エ
2 オ
3 ウ
4 オ
5 ウ
6 イ
7 ア
8 エ
9 イ
10 ウ
11 イ
12 ア
13 イ
14 ア
15 ウ

3

1 ケ
2 ア
3 エ
4 キ
5 ク

4

1 エ
2 ア
3 イ
4 オ
5 ウ
6 ア
7 ウ
8 エ
9 ウ
10 イ

5

1 エ
2 ア
3 ウ
4 イ
5 ア
6 イ
7 エ
8 イ
9 ア
10 ウ

6

対義語
1 丈
2 参
3 略
4 貯
5 低

類義語
6 案
7 肉
8 路
9 互
10 群

7

1 含める
2 授かる
3 過ぎる
4 及ん
5 足りる

8

1 豊
2 是
3 金
4 為
5 青
6 即
7 覧
8 疑
9 退
10 材

9

1 細・採
2 件・検
3 信・針
4 期・揮
5 基・規

10

1 早速
2 多忙
3 濃霧
4 増殖
5 弁舌
6 光沢
7 比較
8 祝福
9 鮮度
10 秘密
11 惑星
12 漫画
13 節目
14 占
15 抱
16 勇
17 狭
18 浮
19 仮
20 捕

本試験の答案用紙のサンプル

本試験で配られるB4サイズの答案用紙は、裏まで続いています。また、記入の仕方には、記述式とマークシート方式があります。受検する前に一度確認しておきましょう。

表面

訂正

性別　男　女

生年月日　西暦　年　月　日

※印字されていない場合は、□の中に生年月日を記入。

<記入例>

生年月日が2001年(平成13年)1月1日なら　2001年 01月 01日

訂正　西暦　年　月　日

※生年月日に誤りがある場合、訂正にマークし、□の中に正しい生年月日を記入。

マーク記入例

○のようにをきれいにぬりつぶしてください。　○　×

ご記入いただきました個人情報は、当協会の検定にかかわる業務にのみ使用します。

(ただし、検定にかかわる業務に際し、業務提携会社に作業を委託する場合があります。)

ご記入いただきました個人情報にかかわるお問い合わせは、下記までお願いします。

(公財) 日本漢字能力検定協会　https://www.kanken.or.jp/privacy/

(一) 読み (30) 1×30

17	16	15	14	13	12	11	10	9	8	7	6	5	4	3	2	1

(二) 同音・同訓異字 (30) 2×15

7	6	5	4	3	2	1
ア イ ウ エ オ	ア イ ウ エ オ	ア イ ウ エ オ	ア イ ウ エ オ	ア イ ウ エ オ	ア イ ウ エ オ	ア イ ウ エ オ

(三) 漢字識別 (10) 2×5

4		3		2		1	
カ キ ク ケ コ	ア イ ウ エ オ	カ キ ク ケ コ	ア イ ウ エ オ	カ キ ク ケ コ	ア イ ウ エ オ	カ キ ク ケ コ	ア イ ウ エ オ

(四) 熟語の構成 (20) 2×10

5	4	3	2	1
ア イ ウ エ オ	ア イ ウ エ オ	ア イ ウ エ オ	ア イ ウ エ オ	ア イ ウ エ オ

(五) 部首 (10) 1×10

5	4	3	2	1
ア イ ウ エ	ア イ ウ エ	ア イ ウ エ	ア イ ウ エ	ア イ ウ エ

※答案用紙には氏名、受検番号、生年月日などがあらかじめ印字されています。
※解答を記入する仕方には、「(一) 読み」のような記述式と、「(二) 同音・同訓異字」のようなマークシート方式があります。表面の「(二) 同音・同訓異字」「(三) 漢字識別」「(四) 熟語の構成」「(五) 部首」はマークシート方式となります。

裏面

（七）漢字と送りがな (10) 2×5

5	4	3	2	1

（六）対義語・類義語 (20) 2×10

6	5	4	3	2	1

（十）書き取り (40) 2×20

3	2	1

（九）誤字訂正 (10) 2×5

3	2	1	
			誤
			正

（八）四字熟語 (20) 2×10

3	2	1

※裏面の「（六）対義語・類義語」「（七）漢字と送りがな」「（八）四字熟語」「（九）誤字訂正」「（十）書き取り」は記述式となります。

その他の注意点

用紙は折り曲げたり、汚したりしてはいけません。

答えが書けなくても必ず提出しましょう。

また、マークシート方式の場合は、次のような場合は無効になりますので、注意してください。

・ボールペンでマークした場合
・マークがうすい場合
・マークが欄からはみ出している場合
・二つ以上マークした場合

HB以上の濃い鉛筆またはシャープペンシルできれいにぬりつぶしましょう。

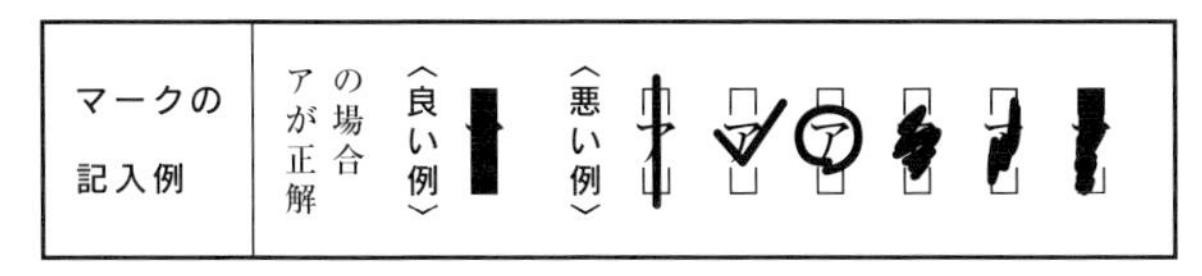

●編者

漢字学習教育推進研究会

大学教授ほか教育関係者、漢字検定1級取得者が中心となり、過去問題を分析、効率的な漢字学習法を研究している。

■お問い合わせについて

- 本書の内容に関するお問い合わせは、**書名・発行年月日を必ず明記**のうえ、文書・ＦＡＸ・メールにて下記にご連絡ください。電話によるお問い合わせは、受け付けておりません。
- 本書の内容を超える質問にはお答えできませんので、あらかじめご了承ください。

本書の正誤情報などについてはこちらからご確認ください。

(https://www.shin-sei.co.jp/np/seigo.html)

- お問い合わせいただく前に上記アドレスのページにて、すでに掲載されている内容かどうかをご確認ください。
- 本書に関する質問受付は、2026年2月末までとさせていただきます。

●**文　書：〒110-0016 東京都台東区台東2-24-10（株）新星出版社 読者質問係**
●**ＦＡＸ：03-3831-0902**
●**メール：https://www.shin-sei.co.jp/np/contact.html**

■協会のお問い合わせ窓口

最新の情報は**公益財団法人日本漢字能力検定協会**にご確認ください。

●電話でのお問い合わせ：**0120-509-315（無料）**
●HPアドレス：**https://www.kanken.or.jp/kanken/contact/**

頻出度順 漢字検定４級 合格！ 問題集

2024年２月25日　初版発行

編　者　漢字学習教育推進研究会
発行者　富永靖弘
印刷所　株式会社高山

発行所　東京都台東区台東２丁目24　株式会社 新星出版社
〒110-0016 ☎03(3831)0743

別冊

2024年度版

頻出度順

漢字検定4級 合格！問題集

この別冊は本冊から取り外して使用することができます

※本試験の答案用紙のサンプルは、本冊 198 ページにあります。本試験を受検する前に必ず確認しておきましょう。

※本書は 2024年２月現在の情報をもとに作成しています。最新の情報に関しては公益財団法人日本漢字能力検定協会（本冊 7 ページ参照）にお問い合わせください。

新星出版社

第1回 模擬試験問題

試験時間 60分

合格ライン 140点

得点 ／200 月 日

1 次の――線の**漢字の読み**を**ひらがな**で記せ。 ／30（1×30）

1 駅前の商店街に店舗を移転する。（ ）
2 チームの低迷に拍車がかかる。（ ）
3 生産性が飛躍的に向上した。（ ）
4 非凡な才能を持っている。（ ）
5 監修者として名を連ねている。（ ）
6 違法な処分は是認できない。（ ）
7 時代に即応した取り組みを始める。（ ）
8 要点を箇条書きでまとめる。（ ）
9 希少動物の繁殖に成功する。（ ）
10 つらくても気丈に振る舞った。（ ）

25 雑草が茂った空き地がある。（ ）
26 濁っていた水が澄んできた。（ ）
27 衛生管理に万全の体制を敷く。（ ）
28 ひしゃくの柄を取り替える。（ ）
29 あらゆる分野の知識を蓄える。（ ）
30 ゆっくりと本のページを繰る。（ ）

2 次の――線の**カタカナ**にあてはまる漢字をそれぞれの**ア～オ**から**一つ**選び、**記号**で記せ。 ／30（2×15）

1 話が**トウ**突に終わって困惑した。（ ）
2 昔からのやり方を**トウ**襲した。（ ）
3 他の作品の**トウ**作を疑われた。（ ）
（ア盗　イ塔　ウ唐　エ踏　オ透）

11 休眠していた会社を復活させる。（　　）

12 橋の欄干から川を見下ろす。（　　）

13 容疑者が事件への関与を否定した。（　　）

14 意外性のある発想に脱帽する。（　　）

15 急病人を必死に介抱する。（　　）

16 夜になると町は静寂に包まれた。（　　）

17 頂上から雄大な景色をながめた。（　　）

18 日々の雑事に忙殺される。（　　）

19 得意の毒舌がさえわたる。（　　）

20 軍隊を率いて隣国を征服する。（　　）

21 周りの声に惑わされる。（　　）

22 目標を達成したことを誇りに思う。（　　）

23 間欠泉が空高く噴き上がる。（　　）

24 課題の早期解決を図る。（　　）

---

4 有名な小説の草**コウ**を公開する。（　　）

5 我々は**コウ**久の平和を願っている。（　　）

6 あてはまる**コウ**目に印をつけた。（　　）

（ア恒　イ稿　ウ抗　エ攻　オ項）

7 **ヒ**写体との距離をとる。（　　）

8 混雑した大通りを回**ヒ**する。（　　）

9 **ヒ**岸を過ぎるとすずしくなった。（　　）

（ア被　イ彼　ウ疲　エ避　オ秘）

10 詩人は数**キ**な人生を送った。（　　）

11 神社で航海の無事を**キ**願する。（　　）

12 計画は**キ**上の空論でしかなかった。（　　）

（ア机　イ奇　ウ幾　エ輝　オ祈）

13 プレゼントにメッセージを**ソ**える。（　　）

14 腕をのばして胸を**ソ**らす。（　　）

15 空が夕焼けの色に**ソ**まる。（　　）

（ア沿　イ反　ウ染　エ初　オ添）

3 1〜5の三つの□に**共通する漢字**を入れて熟語を作れ。漢字は**ア〜コ**から**一つ**選び、**記号**で記せ。

/10 (2×5)

1 □拠・□有・独□ （　）

2 □下・冷□・返□ （　）

3 猛□・権□・□容 （　）

4 □天・朝□・□骨 （　）

5 絶□・□案・微□ （　）

ア 露	イ 威	ウ 沈	エ 妙	オ 獣
カ 却	キ 壁	ク 占	ケ 曇	コ 証

5 次の漢字の**部首**を**ア〜エ**から**一つ**選び、**記号**で記せ。

/10 (1×10)

1 倒 （ア刂 イ至 ウイ エ土） （　）

2 戯 （ア虍 イ戈 ウ弋 エノ） （　）

3 盾 （ア厂 イ十 ウノ エ目） （　）

4 圏 （ア囗 イ二 ウ大 エ己） （　）

5 柔 （ア一 イノ ウ矛 エ木） （　）

6 療 （ア疒 イ广 ウ日 エ小） （　）

7 珍 （ア𠆢 イ彡 ウ王 エ土） （　）

8 殿 （アハ イ又 ウ尸 エ殳） （　）

9 歳 （ア厂 イ止 ウ戈 エ小） （　）

10 誉 （ア言 イ⺍ ウ大 エ口） （　）

6 後の□内のひらがなを漢字に直して□に入れ、**対義語・類義語**を作れ。□内のひらがなは一度だけ使い、**一字**で記せ。

/20 (2×10)

4 熟語の構成のしかたには次のようなものがある。

/20 (2×10)

ア 同じような意味の漢字を重ねたもの……（岩石）
イ 反対または対応の意味を表す字を重ねたもの……（高低）
ウ 上の字が下の字を修飾しているもの……（洋画）
エ 下の字が上の字の目的語・補語になっているもの……（着席）
オ 上の字が下の字の意味を打ち消しているもの……（非常）

次の熟語は右の**ア～オ**のどれにあたるか、**一つ**選び、**記号**で記せ。

1 豪雨（　）
2 無恥（　）
3 送迎（　）
4 皮膚（　）
5 賞罰（　）
6 求婚（　）
7 波紋（　）
8 功罪（　）
9 歌謡（　）
10 禁煙（　）

対義語

1 不振 ― 好□（　）
2 陰性 ― □性（　）
3 歓声 ― □鳴（　）
4 強固 ― 薄□（　）
5 希薄 ― □密（　）

類義語

6 周到 ― 入□（　）
7 精進 ― □力（　）
8 地道 ― □実（　）
9 根底 ― □盤（　）
10 前途 ― □来（　）

き・けん・じゃく・しょう・ちょう・ど・ねん・のう・ひ・よう

7 次の――線の**カタカナ**を**漢字一字**と**送りがな（ひらがな）**に直せ。

10 (2×5)

〈例〉問題に**コタエル**。　答える

1 植物を**カラサ**ないように育てる。（　）
2 温かい感情が胸に**ミチル**。（　）
3 その場にいる全員が**オドロイ**た。（　）
4 **キタナイ**やり方に怒りを覚える。（　）
5 **スグレ**た成績で学校を卒業した。（　）

8 文中の**四字熟語**の――線の**カタカナ**を**一字**の**漢字**に直せ。

20 (2×10)

1 不**ゲン**実行で最後までやりぬく。（　）
2 電光石**カ**の速さで移動する。（　）
3 ついに青天**ハク**日の身となった。（　）

3 児童の通行の安全を確保するため、横断歩道や信号機の制備をする。（　・　）
4 台風の接近を受け、広い範位での大雨や暴風への警戒を呼びかける。（　・　）
5 博物館には遺跡から発掘された石器などの出土品が典示されていた。（　・　）

10 次の――線の**カタカナ**を**漢字**に直せ。

40 (2×20)

1 **イッパン**的な考え方に従う。（　）
2 右手と左手を**コウゴ**に出す。（　）
3 見渡す限り**サキュウ**が続いている。（　）
4 大会新記録を**ジュリツ**した。（　）
5 試合前に選手が**エンジン**を組む。（　）
6 地元の球団の**ネツレツ**なファンだ。（　）

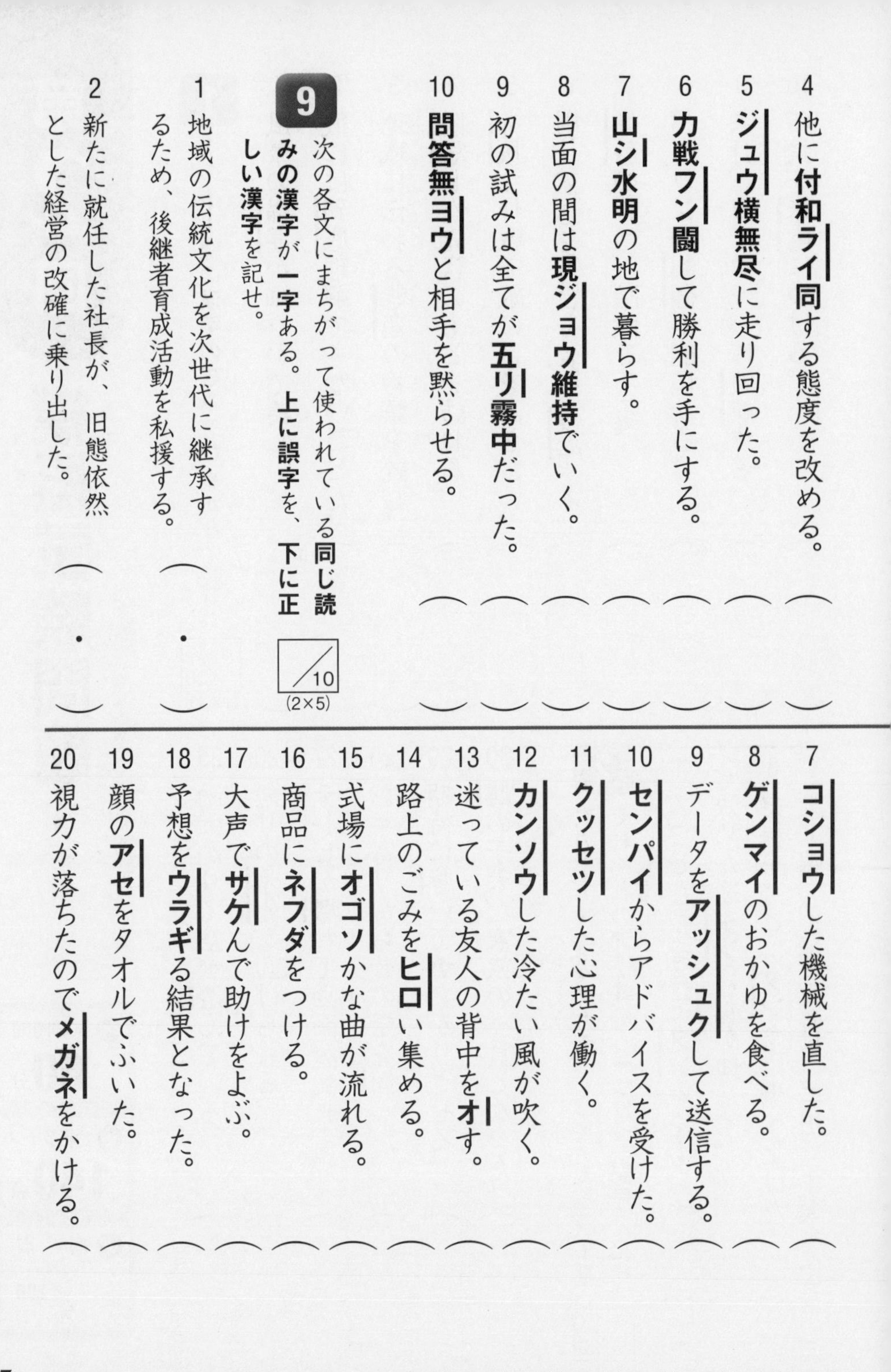

4 他に付和ライ同する態度を改める。（　　）（　　）
5 ジュウ横無尽に走り回った。（　　）（　　）
6 力戦フン闘して勝利を手にする。（　　）（　　）
7 山シ水明の地で暮らす。（　　）（　　）
8 当面の間は現ジョウ維持でいく。（　　）（　　）
9 初の試みは全てが五リ霧中だった。（　　）（　　）
10 問答無ヨウと相手を黙らせる。（　　）（　　）

9 次の各文にまちがって使われている**同じ読みの漢字**が**一字**ある。**上に誤字を**、**下に正しい漢字**を記せ。

/10 (2×5)

1 地域の伝統文化を次世代に継承するため、後継者育成活動を私援する。（　　・　　）
2 新たに就任した社長が、旧態依然とした経営の改確に乗り出した。（　　・　　）

7 コショウした機械を直した。（　　）
8 ゲンマイのおかゆを食べる。（　　）
9 データをアッシュクして送信する。（　　）
10 センパイからアドバイスを受けた。（　　）
11 クッセツした心理が働く。（　　）
12 カンソウした冷たい風が吹く。（　　）
13 迷っている友人の背中をオす。（　　）
14 路上のごみをヒロい集める。（　　）
15 式場にオゴソかな曲が流れる。（　　）
16 商品にネフダをつける。（　　）
17 大声でサケんで助けをよぶ。（　　）
18 予想をウラギる結果となった。（　　）
19 顔のアセをタオルでふいた。（　　）
20 視力が落ちたのでメガネをかける。（　　）

第2回 模擬試験問題

試験時間 60分
合格ライン 140点
得点 /200
月 日

1 次の――線の**漢字の読み**を**ひらがな**で記せ。 /30 (1×30)

1 風景の描写が細やかで美しい。（　）
2 彼には到底理解できないことだ。（　）
3 地域に伝わる悲恋の物語を読む。（　）
4 隠居した先代のもとを訪ねる。（　）
5 奇抜な作戦で敵の目をあざむく。（　）
6 周りからちやほやされて慢心する。（　）
7 傾斜のきつい階段を下る。（　）
8 パソコンが制御不能になる。（　）
9 来月、ヨーロッパに渡航する。（　）
10 印鑑を朱肉につける。（　）

25 雨上がりで空が澄んでいる。（　）
26 怒りの矛先を向けられる。（　）
27 テレビが壊れて画面が乱れる。（　）
28 お年寄りから昔の話を伺った。（　）
29 期待に背いてがっかりさせる。（　）
30 雌の子犬が家族の一員となった。（　）

2 次の――線の**カタカナ**にあてはまる漢字をそれぞれの**ア～オ**から**一つ**選び、**記号**で記せ。 /30 (2×15)

1 みごとな技をみて**タン**声をもらす。（　）
2 決めた途**タン**に心がゆらぐ。（　）
3 史料をもとに**タン**念に調べ上げた。（　）
（ア端　イ誕　ウ丹　エ担　オ嘆）

11 畑を荒らすサルを捕獲した。（　　）
12 引率の先生の指示に従った。（　　）
13 交替で夜間の当番をする。（　　）
14 石炭が採掘されていた山だ。（　　）
15 高い塔の上から周囲をながめる。（　　）
16 敏速な対応が命を救った。（　　）
17 思い出をたどりながら追憶に浸る。（　　）
18 若くして四代目を襲名した。（　　）
19 塩害により鉄骨が腐食する。（　　）
20 柔和な表情を浮かべる。（　　）
21 パンにのせたバターが溶ける。（　　）
22 本部の偉い人が視察に来る。（　　）
23 走り終えたばかりで息が弾む。（　　）
24 鉛はやわらかい金属である。（　　）

4 調査の対象を無作イに選ぶ。（　　）
5 決定に至るまでの経イを伝える。（　　）
6 イ然として行方はわからない。（　　）
（ア緯　イ維　ウ威　エ為　オ依）

7 記事中の人物の敬ショウを省略する。（　　）
8 現場からのショウ報を待つ。（　　）
9 内閣が国会のショウ集を決定する。（　　）
（ア詳　イ召　ウ称　エ傷　オ紹）

10 下級生の模ハンとなるよう努める。（　　）
11 百貨店に商品をハン入する。（　　）
12 国外にハン路を求める。（　　）
（ア販　イ繁　ウ判　エ範　オ搬）

13 事態の収拾に最善をツくす。（　　）
14 茶畑で茶ツみの体験をした。（　　）
15 意外な質問をされて言葉にツまる。（　　）
（ア継　イ尽　ウ詰　エ就　オ摘）

3 1〜5の三つの□に**共通する漢字**を入れて熟語を作れ。漢字は**ア〜コ**から**一つ**選び、**記号**で記せ。

/10 (2×5)

1 □礼・□式・行□（　）
2 □反・相□・□約（　）
3 □進・跳□・飛□（　）
4 □角・□利・新□（　）
5 □火・□風・痛□（　）

ア 烈　イ 儀　ウ 離　エ 違　オ 増
カ 躍　キ 鋭　ク 噴　ケ 婚　コ 触

5 次の漢字の**部首**を**ア〜エ**から**一つ**選び、**記号**で記せ。

/10 (1×10)

1 脚（ア 土　イ ム　ウ 月　エ 卩）（　）
2 翼（ア 八　イ 羽　ウ 田　エ 二）（　）
3 項（ア 工　イ ハ　ウ 貝　エ 頁）（　）
4 隷（ア 隶　イ 氺　ウ 士　エ 示）（　）
5 畳（ア 一　イ 目　ウ 冖　エ 田）（　）
6 突（ア 宀　イ 穴　ウ ノ　エ 大）（　）
7 含（ア 口　イ 人　ウ 一　エ 二）（　）
8 扇（ア 羽　イ 一　ウ 戸　エ 尸）（　）
9 載（ア 車　イ 土　ウ 戈　エ 田）（　）
10 至（ア 一　イ ム　ウ 土　エ 至）（　）

6 後の□内のひらがなを漢字に直して□に入れ、**対義語・類義語**を作れ。□内のひらがなは一度だけ使い、**一字**で記せ。

/20 (2×10)

4

熟語の構成のしかたには次のようなものがある。

/20 (2×10)

ア 同じような意味の漢字を重ねたもの……(岩石)
イ 反対または対応の意味を表す字を重ねたもの……(高低)
ウ 上の字が下の字を修飾しているもの……(洋画)
エ 下の字が上の字の目的語・補語になっているもの……(着席)
オ 上の字が下の字の意味を打ち消しているもの……(非常)

次の熟語は右のア～オのどれにあたるか、一つ選び、記号で記せ。

1 新鮮（　）
2 遠征（　）
3 絶縁（　）
4 陰陽（　）
5 拡幅（　）

6 不朽（　）
7 首尾（　）
8 遊戯（　）
9 製菓（　）
10 歓声（　）

対義語

1 警戒 ― □断（　）
2 親切 ― □淡（　）
3 濁流 ― □流（　）
4 需要 ― 供□（　）
5 開放 ― 閉□（　）

類義語

6 永眠 ― □界（　）
7 長者 ― 富□（　）
8 使命 ― 責□（　）
9 専有 ― 独□（　）
10 及第 ― 合□（　）

かく・きゅう・ごう・さ・せい・せん・た・む・ゆ・れい

7 次の――線の**カタカナ**を**漢字一字**と**送りがな（ひらがな）**に直せ。

〈例〉問題に**コタエル**。　答える

10 (2×5)

1 首位**アラソイ**を繰り広げた。（　　）

2 海岸で初日の出を**オガン**だ。（　　）

3 一番星が**カガヤイ**ている。（　　）

4 **スケル**素材のスカーフを巻く。（　　）

5 無理を言われて困り**ハテル**。（　　）

8 文中の**四字熟語**の――線の**カタカナ**を**漢字一字**に直せ。

20 (2×10)

1 生きる意味について沈思**モッ**考する。（　　）

2 信賞**ヒッ**罰のルールをつらぬく。（　　）

3 同**エイ**曲の作品ばかりだった。（　　）

3 現在の家庭の経財状況をつかむために毎月の収支を洗い出した。（　・　）

4 野生鳥獣による非害が後を絶たず、農家は対策に苦慮している。（　・　）

5 古民家など歴史的に価値のある建造物を観行資源として再活用する。（　・　）

10 次の――線の**カタカナ**を**漢字**に直せ。

40 (2×20)

1 ごく**フツウ**の暮らしをしている。（　　）

2 **カゲキ**な発言が問題視される。（　　）

3 互いの健闘をたたえ**アクシュ**した。（　　）

4 **フクザツ**な事情を抱えている。（　　）

5 今朝は六時に**キショウ**した。（　　）

6 **ユウシュウ**な成績を残した。（　　）

4 **完全無ケツ**な計画のはずだった。（　　）
5 **単トウ直入**に本題を切り出した。（　　）
6 **ロン旨明快**な語り口を心がける。（　　）
7 **七ナン八苦**を耐えぬいた。（　　）
8 逆転勝ちをして**狂喜乱ブ**した。（　　）
9 **ズ寒足熱**は健康によいと言われる。（　　）
10 **人跡ミ踏**の奥地に分け入る。（　　）

9 次の各文にまちがって使われている**同じ読みの漢字**が**一字**ある。**上に誤字**を、**下に正しい漢字**を記せ。

10 (2×5)

1 図書館の利用者当録をして自由研究のための資料を何冊か借りた。（　・　）
2 庭に迷い込んだ小鳥を保互し、無事に飼い主の元に返すことができた。（　・　）

7 海外にいる知人の**アンピ**を気遣う。（　　）
8 **キョダイ**なオブジェを制作する。（　　）
9 日程の変更の**レンラク**をした。（　　）
10 母校は来年で**ソウリツ**五十周年だ。（　　）
11 都心のホテルに**シュクハク**する。（　　）
12 すっきりしない**ドンテン**が続く。（　　）
13 将来性のない会社を**ミカギ**る。（　　）
14 自分の意志の弱さを**ハ**じる。（　　）
15 **キヌ**は蚕のまゆから作られる。（　　）
16 雨でぬれたくつが**カワ**いた。（　　）
17 子供に**カタグルマ**をせがまれる。（　　）
18 **メグ**まれた環境で練習をした。（　　）
19 走者に**サカ**んに声援を送った。（　　）
20 朝から忙しかったので**ツカ**れた。（　　）

第3回 模擬試験問題

試験時間 60分
合格ライン 140点
得点 /200
月 日

1 次の――線の**漢字の読み**を**ひらがな**で記せ。 /30 (1×30)

1 極秘の任務を命じられた。（　）
2 両軍の攻防はますます激化した。（　）
3 ダメージは微々たるものだった。（　）
4 未完成の遺稿が見つかった。（　）
5 それほど軽薄な人ではなかった。（　）
6 世界的な活躍が称賛される。（　）
7 法律に抵触するおそれがある。（　）
8 縁日には境内に多くの人が集まる。（　）
9 脈絡なく延々と話は続いた。（　）
10 機器を使って音声を増幅する。（　）

25 現在の厳しい状況を訴える。（　）
26 チームの和を乱す行動を慎む。（　）
27 名作との誉れが高い作品だ。（　）
28 言葉の乱れを嘆かわしく思う。（　）
29 太陽はすっかり西に傾いた。（　）
30 言いようのない恐怖に襲われた。（　）

2 次の――線の**カタカナ**にあてはまる漢字をそれぞれの**ア〜オ**から**一つ**選び、**記号**で記せ。 /30 (2×15)

1 精**サイ**を欠くプレーが目立った。（　）
2 書類の記**サイ**に誤りがあった。（　）
3 **サイ**時記で俳句の季語を確認した。（　）
（ア裁　イ彩　ウ載　エ採　オ歳）

11 耐熱ガラス製の器を用いる。（　）

12 会員から年会費を徴収する。（　）

13 河原にはススキが繁茂していた。（　）

14 河川の水質汚濁が問題となる。（　）

15 素直な気持ちを吐露する。（　）

16 互いの見解に相違がある。（　）

17 冬は羽毛のふとんをかける。（　）

18 母は薬剤師として働いている。（　）

19 はるか遠くの連峰をながめる。（　）

20 明日の登山の支度をする。（　）

21 軒先のつららから水滴が落ちる。（　）

22 立ち止まって空を仰いだ。（　）

23 昔をなつかしんで感傷に浸る。（　）

24 丈の長いスカートをはく。（　）

---

4 独立開業して印**カン**を作った。（　）

5 **カン**告を受けて和解した。（　）

6 プールの**カン**視員をしている。（　）

（ア監　イ勧　ウ乾　エ鑑　オ歓）

7 アジアの民族舞**ヨウ**を研究する。（　）

8 なつかしい童**ヨウ**を口ずさむ。（　）

9 切断した鉄の板を**ヨウ**接する。（　）

（ア養　イ容　ウ踊　エ謡　オ溶）

10 漫画で現代社会を風**シ**する。（　）

11 文章の要**シ**を簡潔にまとめる。（　）

12 **シ**雄を決する大一番だ。（　）

（ア脂　イ紫　ウ旨　エ雌　オ刺）

13 投資をして資産を**フ**やす。（　）

14 赤飯にごまを**フ**りかける。（　）

15 前例を**フ**まえて対処する。（　）

（ア殖　イ踏　ウ吹　エ噴　オ振）

3 1～5の三つの□に**共通する漢字**を入れて熟語を作れ。漢字は**ア～コ**から**一つ**選び、**記号**で記せ。

（2×5）／10

1 終□・地□・序□　（　　）
2 □走・混□・□子　（　　）
3 □然・□拠・□存　（　　）
4 疑□・当□・困□　（　　）
5 □力・□章・□前　（　　）

ア 念	イ 結	ウ 盤	エ 騒	オ 腕
カ 逃	キ 握	ク 惑	ケ 依	コ 迷

5 次の漢字の**部首**を**ア～エ**から**一つ**選び、**記号**で記せ。

（1×10）／10

1 競（ア 亠　イ 立　ウ 口　エ 儿）（　　）
2 箇（ア 囗　イ 口　ウ ⺮　エ 十）（　　）
3 威（ア 戈　イ 一　ウ 厂　エ 女）（　　）
4 罰（ア 罒　イ 言　ウ 刂　エ 口）（　　）
5 舟（ア 丶　イ 一　ウ 舟　エ 亅）（　　）
6 是（ア 人　イ 足　ウ 疋　エ 日）（　　）
7 需（ア 一　イ 雨　ウ 丶　エ 而）（　　）
8 戒（ア 弋　イ 一　ウ 廾　エ 戈）（　　）
9 趣（ア 走　イ 耳　ウ 土　エ 又）（　　）
10 斜（ア 入　イ 小　ウ 斗　エ 十）（　　）

6 後の□内のひらがなを漢字に直して□に入れ、**対義語・類義語**を作れ。□内のひらがなは一度だけ使い、**一字**で記せ。

（2×10）／20

4 熟語の構成のしかたには次のようなものがある。

/20 (2×10)

ア 同じような意味の漢字を重ねたもの………（岩石）
イ 反対または対応の意味を表す字を重ねたもの………（高低）
ウ 上の字が下の字を修飾しているもの………（洋画）
エ 下の字が上の字の目的語・補語になっているもの………（着席）
オ 上の字が下の字の意味を打ち消しているもの………（非常）

次の熟語は右の**ア〜オ**のどれにあたるか、**一つ**選び、**記号**で記せ。

1 更衣（　）
2 後輩（　）
3 恩恵（　）
4 安眠（　）
5 詳細（　）
6 濃淡（　）
7 光輝（　）
8 越境（　）
9 栄枯（　）
10 不屈（　）

対義語

1 起床―就□（　）
2 航行―□泊（　）
3 回避―直□（　）
4 冒頭―末□（　）
5 脱退―加□（　）

類義語

6 同等―□敵（　）
7 全快―完□（　）
8 備蓄―貯□（　）
9 熱狂―興□（　）
10 釈明―□解（　）

しん・ぞう・ち・てい・び
ひっ・ふん・べん・めい・めん

7 次の――線の**カタカナ**を**漢字一字**と**送りがな（ひらがな）**に直せ。

〈例〉問題に**コタエル**。　答える

/10 (2×5)

1 店の前に大勢の人が**ムラガル**。（　　）

2 メダカにえさを**アタエル**。（　　）

3 使い残しの野菜が**クサル**。（　　）

4 **ナヤマシイ**問題が多い。（　　）

5 故人の墓に花を**ソナエル**。（　　）

8 文中の**四字熟語**の――線の**カタカナ**を**漢字一字**に直せ。

/20 (2×10)

1 **名ジツ一体**の代表選手となる。（　　）

2 **驚テン動地**の偉業を成しとげた。（　　）

3 命をかけた**真ケン勝負**にいどむ。（　　）

3 組織内の役割分担を慎重に検当して、効率的に営業活動を行う。（　　・　　）

4 地元の原材料を使った特産品を開発して販買し、地域の活性化を図る。（　　・　　）

5 優勝項補と言われた強豪が初戦で敗退するという波乱が起きた。（　　・　　）

10 次の――線の**カタカナ**を**漢字**に直せ。

/40 (2×20)

1 道の**トチュウ**で引き返した。（　　）

2 好きな画家の絵を**モシャ**する。（　　）

3 **ヘイボン**だが幸せな人生だ。（　　）

4 海外での**ホウフ**な経験を生かす。（　　）

5 ついに延長戦に**トツニュウ**した。（　　）

6 目的地まではかなり**キョリ**がある。（　　）

4 若いころは**牛飲バ食**していた。（　　）

5 古都の**名所キュウ跡**を訪れる。（　　）

6 **小シン翼々**と不安そうにしている。（　　）

7 **一ボウ千里**のすばらしいながめだ。（　　）

8 **危機一パツ**のところで助かった。（　　）

9 **時セツ到来**とばかりに挙兵した。（　　）

10 **抱フク絶倒**のコメディー映画を見る。（　　）

9 次の各文にまちがって使われている**同じ読みの漢字**が**一字**ある。**上に誤字**を、**下に正しい漢字**を記せ。

／10 (2×5)

1 人口の減少や高齢化が進刻な地方では、公共交通の維持が課題である。（　　・　　）

2 前日までの気温と飛較すると今夜は急激に冷え込む見込みである。（　　・　　）

7 職人が**ジュクレン**の技を見せる。（　　）

8 本は八月**ゲジュン**に刊行予定だ。（　　）

9 親友に**コンヤク**者を紹介した。（　　）

10 仲間の**シンライ**に応える。（　　）

11 急な**ライウ**に見舞われた。（　　）

12 一気に二位に**フジョウ**した。（　　）

13 **ヨクバ**って弟の分まで食べる。（　　）

14 武士が刀を**ヌ**いて構える。（　　）

15 旅立つ友の**カドデ**を祝う。（　　）

16 明るい光を**ハナ**つ星が見える。（　　）

17 珍しい外国の食品を**アツカ**う。（　　）

18 旅をテーマにした小冊子を**ア**む。（　　）

19 洗った衣服を外に**ホ**した。（　　）

20 **ア**れた土地を耕して畑にした。（　　）

第4回 模擬試験問題

試験時間 60分
合格ライン 140点
得点 ／200　月　日

1 次の――線の**漢字の読み**を**ひらがな**で記せ。 ／30 (1×30)

1 選手とコーチを兼務している。（　）
2 みんなに迷惑をかけてしまった。（　）
3 序盤から白熱した戦いとなった。（　）
4 虫の食害で松の木が枯死した。（　）
5 トップの成績で殿堂入りを果たす。（　）
6 事実を誇張せずに正確に伝える。（　）
7 突堤で終日つりをしていた。（　）
8 病床にある祖父に付き添った。（　）
9 人に言えない苦悩を抱えていた。（　）
10 裁判所で証人尋問が行われる。（　）

25 怖い話を聞いて眠れなくなった。（　）
26 七輪で魚を焼いたら家の中が煙い。（　）
27 小遣いをためてギターを買った。（　）
28 人生の荒波を乗り越えてきた。（　）
29 会社の更なる発展を願う。（　）
30 過去と未来に思いを巡らす。（　）

2 次の――線の**カタカナ**にあてはまる漢字をそれぞれの**ア〜オ**から**一つ**選び、**記号**で記せ。 ／30 (2×15)

1 秀**レイ**な山並みが連なる。（　）
2 **レイ**属的な関係から抜け出す。（　）
3 **レイ**節をわきまえて対応する。（　）
（ア麗　イ礼　ウ齢　エ隷　オ例）

11 反対派の意見は黙殺された。（　　）（　　）
12 冷夏で夏物衣料の需要が落ち込む。（　　）（　　）
13 先生の話には含蓄がある。（　　）（　　）
14 貴重な民俗資料を展示する。（　　）（　　）
15 あいさつの習慣を浸透させる。（　　）（　　）
16 畑の害虫を農薬で駆除する。（　　）（　　）
17 照明が消えて客席は騒然となった。（　　）（　　）
18 太陽に似た恒星を探す。（　　）（　　）
19 天候不順により凶作になった。（　　）（　　）
20 扇子を取り出してあおぐ。（　　）（　　）
21 家の者はすべて出払っている。（　　）（　　）
22 お客様が料理を召し上がる。（　　）（　　）
23 ずっと一人でいるのは寂しい。（　　）（　　）
24 切り立った岩山が目の前に迫る。（　　）（　　）

4 他国の動向に警**カイ**を強める。（　　）（　　）
5 四月から**カイ**勤を続けている。（　　）（　　）
6 大国の武力**カイ**入を受ける。（　　）（　　）
（ア改　イ械　ウ皆　エ介　オ戒）

7 天から**フ**与された才能を生かす。（　　）（　　）
8 スマートフォンが**フ**及した。（　　）（　　）
9 微生物によって食品が**フ**敗する。（　　）（　　）
（ア普　イ浮　ウ布　エ腐　オ賦）

10 繁**ボウ**期にはアルバイトをやとう。（　　）（　　）
11 会の**ボウ**頭であいさつをした。（　　）（　　）
12 争いの一部始終を**ボウ**観していた。（　　）（　　）
（ア帽　イ傍　ウ冒　エ忙　オ坊）

13 陣頭に立って指揮を**ト**った。（　　）（　　）
14 美しい花が目に**ト**まった。（　　）（　　）
15 努力することの大切さを**ト**いた。（　　）（　　）
（ア留　イ説　ウ執　エ捕　オ泊）

3 1～5の三つの□に**共通する漢字**を入れて熟語を作れ。漢字は**ア～コ**から**一つ**選び、**記号**で記せ。

/10 (2×5)

1 □線・□陽・□面 （　）
2 □曲・遊□・□画 （　）
3 □暑・退□・不可□ （　）
4 規□・師□・広□ （　）
5 追□・□起・□破 （　）

ア突　イ屈　ウ避　エ跡　オ戯
カ範　キ猛　ク模　ケ脱　コ斜

5 次の漢字の**部首**を**ア～エ**から**一つ**選び、**記号**で記せ。

/10 (1×10)

1 烈 （ア灬　イ歹　ウ刂　エ夕）
2 玄 （ア亠　イ一　ウ幺　エ玄）
3 壱 （ア十　イ冖　ウ士　エ匕）
4 朱 （ア木　イ牛　ウ二　エノ）
5 尾 （ア毛　イし　ウ厂　エ尸）
6 舞 （アノ　イ夕　ウ舛　エ十）
7 軒 （ア干　イ車　ウ十　エ｜）
8 釈 （ア尸　イ木　ウ釆　エ禾）
9 剤 （ア亠　イ二　ウ斉　エ刂）
10 衛 （ア彳　イ行　ウ二　エ口）

6 後の□内のひらがなを漢字に直して□に入れ、**対義語・類義語**を作れ。□内のひらがなは一度だけ使い、**一字**で記せ。

/20 (2×10)

4 **熟語の構成**のしかたには次のようなものがある。

/20 (2×10)

ア　同じような意味の漢字を重ねたもの……（**岩石**）
イ　反対または対応の意味を表す字を重ねたもの……（**高低**）
ウ　上の字が下の字を修飾しているもの……（**洋画**）
エ　下の字が上の字の目的語・補語になっているもの……（**着席**）
オ　上の字が下の字の意味を打ち消しているもの……（**非常**）

次の熟語は右の**ア〜オ**のどれにあたるか、**一つ**選び、**記号**で記せ。

1 因果（　）
2 盛況（　）
3 未婚（　）
4 存亡（　）
5 握力（　）
6 拍手（　）
7 鋭敏（　）
8 起稿（　）
9 瞬間（　）
10 休暇（　）

対義語

1 徴収 ― □入（　）
2 軽率 ― □重（　）
3 攻撃 ― □御（　）
4 一致 ― □違（　）
5 返却 ― □用（　）

類義語

6 理由 ― □拠（　）
7 運搬 ― □送（　）
8 縁者 ― 親□（　）
9 加勢 ― 応□（　）
10 名誉 ― □光（　）

えい・えん・こん・しゃく・しん
そう・のう・ぼう・ゆ・るい

7 次の――線の**カタカナ**を**漢字一字**と**送りがな（ひらがな）**に直せ。

/10 (2×5)

〈例〉問題に**コタエル**。　答える

1 優勝が現実味を**オビル**。（　　）

2 **タノモシイ**味方が現れた。（　　）

3 戦地に平和が**オトズレル**。（　　）

4 幼子が母親に**アマエル**。（　　）

5 **チラカッ**た部屋をかたづける。（　　）

8 文中の**四字熟語**の――線の**カタカナ**を**一字**の**漢字**に直せ。

/20 (2×10)

1 思慮**フン**別に欠ける行動だった。（　　）

2 自給自**ソク**の生活をしている。（　　）

3 起承**テン**結の構成で漫画を描く。（　　）

3 身近に生えている植物を採集して詳細に観刷し、ノートに記録した。（　・　）

4 冷蔵庫で補存している食材の賞味期限を確認し、古いものから使用した。（　・　）

5 活発な前線の映響で大気の状態が不安定になり、局地的に大雨となった。（　・　）

10 次の――線の**カタカナ**を**漢字**に直せ。

/40 (2×20)

1 **シキサイ**豊かな絵を飾った。（　　）

2 再会を喜んで**カンルイ**にむせぶ。（　　）

3 **ゼツミョウ**なタイミングで現れた。（　　）

4 帰省客で駅が**コンザツ**している。（　　）

5 **カンキョウ**のよい地区に引っ越す。（　　）

6 記憶の**ダンペン**をつなぎ合わせる。（　　）

4 **ハク**利多売の戦略が功を奏す。（　　）（　　）

5 **キョウ**味本位であれこれ聞いた。（　　）（　　）

6 一心不**ラン**に資料を読みあさった。（　　）（　　）

7 住職に寺の故事来**レキ**を聞く。（　　）（　　）

8 強敵を前にしても闘**シ**満々だ。（　　）（　　）

9 犯罪組織を一網打**ジン**にした。（　　）（　　）

10 世界中で天**サイ**地変が続いた。（　　）（　　）

9 次の各文にまちがって使われている**同じ読みの漢字**が**一字**ある。**上に誤字**を、**下に正しい漢字**を記せ。

/10 (2×5)

1 異文化交流で新たな視点を確得し、主体的に国際的な課題に取り組む。（　　・　　）

2 一般家庭で仕育され行方不明になっていた大型のトカゲが発見された。（　　・　　）

7 情熱的な**レンアイ**にあこがれる。（　　）（　　）

8 窓ガラスに**スイテキ**がつく。（　　）（　　）

9 待ち合わせの時間に**チコク**する。（　　）（　　）

10 新しい店舗の**ケンチク**が始まる。（　　）（　　）

11 **ドヒョウ**の上で力士がにらみ合う。（　　）（　　）

12 腹の回りに**シボウ**がついた。（　　）（　　）

13 木の**ウツワ**にサラダを盛る。（　　）（　　）

14 **ニ**げるようにその場を離れた。（　　）（　　）

15 コップに冷たい牛乳を**ソソ**ぐ。（　　）（　　）

16 勝利に向けて作戦を**ネ**る。（　　）（　　）

17 息苦しくて**ムナモト**を押さえる。（　　）（　　）

18 入り口で入場券を**ワタ**した。（　　）（　　）

19 競技規則に**モト**づき失格となる。（　　）（　　）

20 疲れがたまって頭の働きが**ニブ**る。（　　）（　　）

第5回 模擬試験問題

試験時間 60分
合格ライン 140点
得点 /200
月 日

1 次の――線の**漢字の読み**を**ひらがな**で記せ。 /30 (1×30)

1 跳馬の新しい技にいどんだ。（　）
2 地域にゆかりのある史跡を訪ねる。（　）
3 勝利への執念が得点を生んだ。（　）
4 社内の精鋭たちを集めた。（　）
5 粒子の細かい砂を手ですくう。（　）
6 威儀を正して式に臨んだ。（　）
7 姉は服飾関係の仕事をしている。（　）
8 会の設立の趣旨を述べる。（　）
9 原野を開拓して人々が移住した。（　）
10 祖母は謡曲を習っている。（　）

25 淡い期待はみごとに裏切られた。（　）
26 かさの先から滴が垂れる。（　）
27 暦の上では春だが寒い日が続く。（　）
28 朽ちた空き家が点在している。（　）
29 やるべきことは幾らでもある。（　）
30 池の縁に立ってコイをながめる。（　）

2 次の――線の**カタカナ**にあてはまる漢字をそれぞれの**ア～オ**から**一つ**選び、**記号**で記せ。 /30 (2×15)

1 **キョウ**異的な記録を打ち立てた。（　）
2 **キョウ**怖のあまり絶叫する。（　）
3 読者からの反**キョウ**が大きかった。（　）
（ア凶　イ狂　ウ響　エ驚　オ恐）

11 周囲の山の偉容に圧倒される。（　）（　）
12 試合の前に自らを鼓舞した。（　）（　）
13 樹脂製のフレームの眼鏡を選ぶ。（　）（　）
14 近況を手紙に書いて知らせた。（　）（　）
15 係員は腕章をつけている。（　）（　）
16 寸暇をおしんで研究をした。（　）（　）
17 尾翼に航空会社のマークがある。（　）（　）
18 母校から著名人が輩出する。（　）（　）
19 甘言に乗ってだまされる。（　）（　）
20 地元の商店街の振興を図る。（　）（　）
21 黒い雲がかかって日が陰る。（　）（　）
22 危険を冒して人を救った。（　）（　）
23 選手たちが九回裏の守備に就いた。（　）（　）
24 他社の製品より性能が劣る。（　）（　）

4 首都ケンの新築物件を探す。（　）（　）
5 今までの立場をケン持する。（　）（　）
6 現地に記者として派ケンされる。（　）（　）
（ア剣　イ遣　ウ堅　エ兼　オ圏）

7 チ命的なミスが見つかった。（　）（　）
8 大雪のために電車がチ延した。（　）（　）
9 組織内のチ部が明るみに出る。（　）（　）
（ア致　イ恥　ウ値　エ遅　オ置）

10 豪雨でシン水の被害を受けた。（　）（　）
11 転ばないようにシン重に歩く。（　）（　）
12 他国の領土にシン入する。（　）（　）
（ア侵　イ慎　ウ浸　エ震　オ寝）

13 玄関でスリッパにはきカえる。（　）（　）
14 電車に間に合うよう駅までカける。（　）（　）
15 庭に生えた雑草をカる。（　）（　）
（ア駆　イ替　ウ刈　エ枯　オ欠）

3 1～5の三つの□に**共通する漢字**を入れて熟語を作れ。漢字は**ア～コ**から**一つ**選び、**記号**で記せ。

10 (2×5)

1 連□・積□・記□（　）

2 図□・□定・印□（　）

3 悲□・□状・□劇（　）

4 一□・□時・□発力（　）

5 指□・家□・波□（　）

ア 鑑	イ 鎖	ウ 柄	エ 惨	オ 摘
カ 嘆	キ 瞬	ク 紋	ケ 載	コ 環

5 次の漢字の**部首**を**ア～エ**から**一つ**選び、**記号**で記せ。

10 (1×10)

1 裁（ア 土　イ 戈　ウ 弋　エ 衣）（　）

2 曇（ア 日　イ 雨　ウ 冖　エ 二）（　）

3 奥（ア 冂　イ ノ　ウ 大　エ 米）（　）

4 雌（ア 止　イ 隹　ウ 匕　エ ノ）（　）

5 老（ア 耂　イ ノ　ウ 土　エ 匕）（　）

6 彩（ア 爫　イ 彡　ウ 木　エ ⺍）（　）

7 傾（ア 貝　イ 頁　ウ 匕　エ 亻）（　）

8 鬼（ア ノ　イ 鬼　ウ 田　エ 儿）（　）

9 床（ア 广　イ 厂　ウ 十　エ 木）（　）

10 再（ア 一　イ 二　ウ 冂　エ 田）（　）

6 後の□内のひらがなを漢字に直して□に入れ、**対義語・類義語**を作れ。□内のひらがなは一度だけ使い、**一字**で記せ。

20 (2×10)

4 **熟語の構成**のしかたには次のようなものがある。

（2×10）　／20

ア　同じような意味の漢字を重ねたもの……（岩石）
イ　反対または対応の意味を表す字を重ねたもの……（高低）
ウ　上の字が下の字を修飾しているもの……（洋画）
エ　下の字が上の字の目的語・補語になっているもの……（着席）
オ　上の字が下の字の意味を打ち消しているもの……（非常）

次の熟語は右の**ア〜オ**のどれにあたるか、**一つ**選び、**記号**で記せ。

1　尽力（　）
2　違反（　）
3　清濁（　）
4　不眠（　）
5　帰途（　）
6　到達（　）
7　空欄（　）
8　仰天（　）
9　直訴（　）
10　優劣（　）

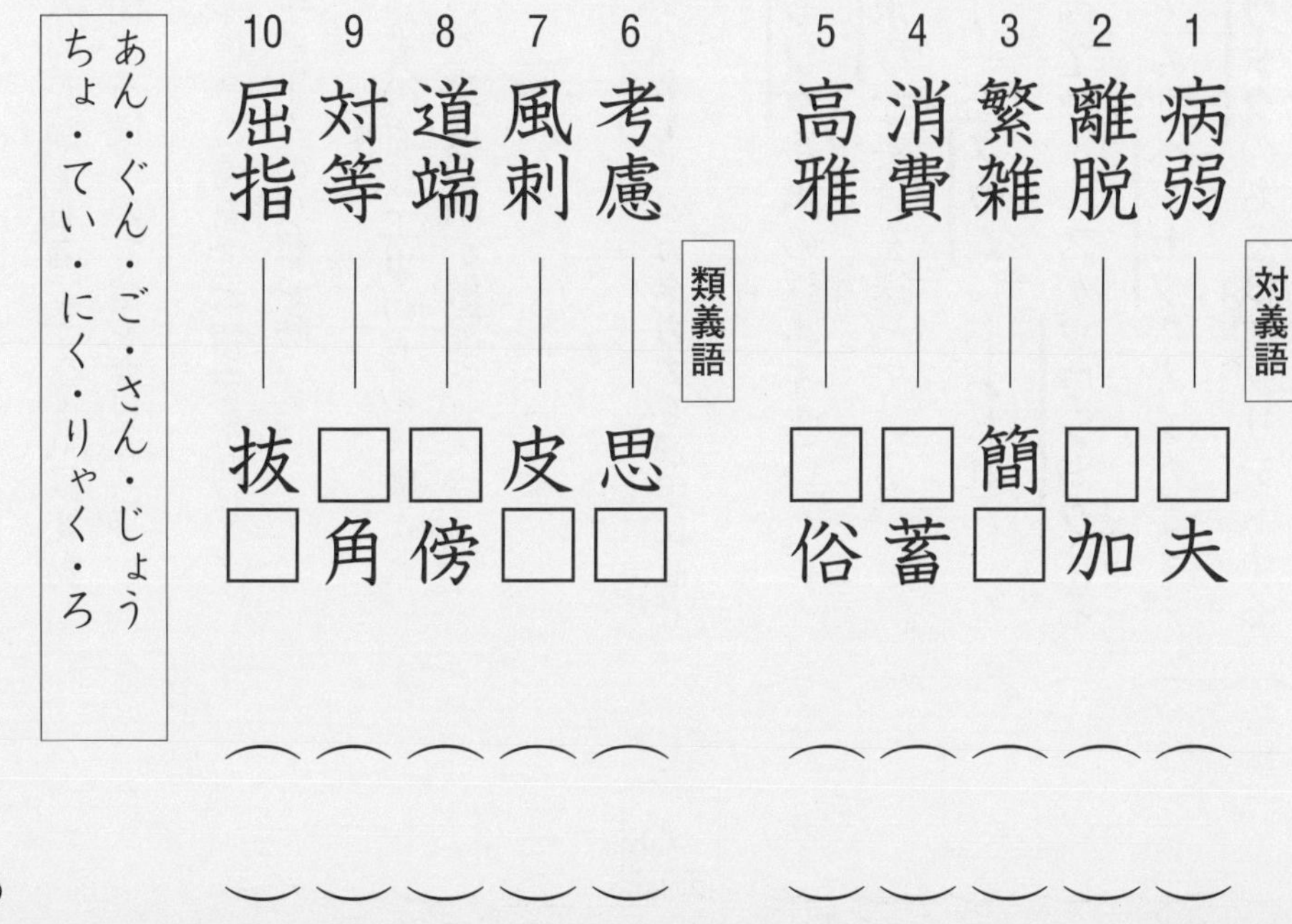

対義語

1　病弱－□夫（　）
2　離脱－□加（　）
3　繁雑－簡□（　）
4　消費－□蓄（　）
5　高雅－□俗（　）

類義語

6　考慮－思□（　）
7　風刺－皮□（　）
8　道端－□傍（　）
9　対等－□角（　）
10　屈指－抜□（　）

あん・ぐん・ご・さん・じょう
ちょ・てい・にく・りゃく・ろ

7 次の――線の**カタカナ**を**漢字一字**と**送りがな（ひらがな）**に直せ。

10 (2×5)

〈例〉問題に**コタエル**。 答える

1 送料も**フクメル**と割高な値段だ。（　　）

2 名誉ある賞を**サズカル**。（　　）

3 予定の時刻を大幅に**スギル**。（　　）

4 会議は三時間に**オヨン**だ。（　　）

5 二千円あれば**タリル**だろう。（　　）

8 文中の**四字熟語**の――線の**カタカナ**を**一字**の**漢字**に直せ。

20 (2×10)

1 今年の**ホウ**年満作を祈った。（　　）

2 **ゼ**非善悪の判断を下す。（　　）

3 恩師の教えを**キン**科玉条とする。（　　）

4 絶体絶命の場面で本領を発期して、相手チームの攻撃を防いだ。（　・　）

3 世界的な潮流を踏まえて気候変動に関する従来の方信を変更した。（　・　）

5 水道管の布設工事のために敷かれていた交通基制が解除された。（　・　）

10 次の――線の**カタカナ**を**漢字**に直せ。

40 (2×20)

1 **サッソク**手紙の返事を書いた。（　　）

2 **タボウ**な毎日を送っている。（　　）

3 辺り一面**ノウム**におおわれた。（　　）

4 体内でウイルスが**ゾウショク**する。（　　）

5 たくみな**ベンゼツ**で人をだます。（　　）

6 **コウタク**のある紙にプリントする。（　　）

4 世の**有イ転変**を痛切に感じる。（　　）

5 物価が上がり**アオ息吐息**の生活だ。（　　）

6 **一触ソク発**の事態は回避された。（　　）

7 著者は**博ラン強記**で知られる。（　　）

8 本当かどうか**半信半ギ**だった。（　　）

9 **一進一タイ**の攻防を繰り広げた。（　　）

10 **適ザイ適所**の人員配置を心がける。（　　）

9 次の各文にまちがって使われている**同じ読みの漢字**が**一字**ある。**上に誤字**を、**下に正しい漢字**を記せ。 10 (2×5)

1 希少種として細取が禁止されているシダ植物の盗掘が発覚した。（　　・　　）

2 各部屋にある火災警報器が正常に作動するかどうかを点件する。（　　・　　）

7 二つのデータを**ヒカク**する。（　　）

8 友達の結婚を**シュクフク**する。（　　）

9 **セント**のよい魚介類を入手した。（　　）

10 隠してきた**ヒミツ**を打ち明けた。（　　）

11 地球は太陽系の**ワクセイ**である。（　　）

12 人気のある**マンガ**を読んだ。（　　）

13 成人式という**フシメ**を迎えた。（　　）

14 来年の運勢を**ウラナ**ってもらう。（　　）

15 大きな荷物を**カカ**えて歩いている。（　　）

16 喜び**イサ**んで出かけていった。（　　）

17 先頭との距離が**セバ**まる。（　　）

18 昨日の出来事を思い**ウ**かべる。（　　）

19 **カリ**の店舗で営業を始める。（　　）

20 草むらでバッタを**ツカ**まえた。（　　）

※矢印の方向に引くと別冊が取り外せます。